CAMPOS DE ENERGIA HUMANOS

Colin A. Ross

CAMPOS DE ENERGIA HUMANOS

Uma Nova Ciência e uma Nova Medicina

Tradução

CARMEN FISCHER

Editora
Cultrix
SÃO PAULO

Título original: *Human Energy Fields.*

Texto de acordo com as novas regras ortográficas da língua portuguesa.

1ª edição 2012.

Coordenação editorial: Denise de C. Rocha Delela e Roseli de S. Ferraz.
Revisão: Newton Roberval Eichemberg.
Diagramação: Join Bureau

Dados Internacionais de Catalogação na Publicação (CIP)
(Câmara Brasileira do Livro, SP, Brasil)

Ross, Colin A.
Campos de energia humanos : uma nova ciência e uma nova medicina / Colin A. Ross ; tradução Carmen Fischer. — São Paulo : Cultrix, 2012.

Título original : Human energy fields.
ISBN 978-85-316-1196-4

1. Eletrofisiologia 2. Medicina energética 3. Medicina holística I. Título.

12-08584 CDD-615.53

Índices para catálogo sistemático:
1. Medicina energética 615.53

Direitos de tradução para a língua portuguesa
adquiridos com exclusividade pela
EDITORA PENSAMENTO-CULTRIX LTDA.
Rua Dr. Mário Vicente, 368 — 04270-000 — São Paulo, SP
Fone: (11) 2066-9000 — Fax: (11) 2066-9008
E-mail: atendimento@editoracultrix.com.br
http://www.editoracultrix.com.br
que se reserva a propriedade literária desta tradução.

Foi feito o depósito legal.

SUMÁRIO

APÊNDICES

INTRODUÇÃO: O QUE VOCÊ VAI ENCONTRAR NESTE LIVRO?

Neste livro, descrevo uma nova ciência e uma nova medicina. Estabeleço tanto os princípios teóricos gerais como toda uma série de aplicações práticas para esse novo campo. Meu propósito é criar um arcabouço conceitual que faça com que o estudo dos campos de energia humanos seja uma área reconhecida pela ciência convencional. Para chegar a isso, tive de refletir sobre o problema da divisão mente-corpo e a filosofia da ciência. Para juntar a física e a engenharia modernas, por um lado, e o antigo conhecimento dos chakras, dos meridianos da acupuntura, das auras e do espírito humano, por outro lado, tive de refutar o dualismo cartesiano e os fundamentos lógicos do materialismo ocidental.

Proponho aqui que o espírito é uma propriedade geral da matéria. Proponho também que o espírito humano e o campo eletromagnético do corpo humano são a mesma coisa. Eles foram separados artificialmente por um dualismo equivocado. Estudar a aura humana ou a saúde do chakra do coração não é algo mais místico do que fazer um eletrocardiograma ou um eletroencefalograma — na verdade, é a mesma coisa. Onde quer que haja espaço, tempo, energia ou matéria, há também um campo eletromagnético, e esse campo é a "força vital".

A força vital, a mente, a alma, o espírito, a consciência — essas coisas existem no universo e fazem parte da física. Por isso, é possível desenvolver uma física do espírito humano. E, com base nessa física, pode-se derivar uma longa série de aplicações técnicas. O eletrocardiograma e o eletroencefalograma considerados no âmbito da medicina ocidental apenas arranham a superfície da ciência dos campos de energia humanos. Há numerosas possibilidades de aplicação nos campos da medicina, antropologia, agricultura, entretenimento, indústria de armamentos, sistemas de segurança e outras áreas.

A medicina, creio eu, está prestes a adotar tecnologias sem fio. Nesse sentido, ela está defasada com relação às telecomunicações. Se eu estiver correto, daqui a vinte anos, os estudantes de medicina reconhecerão que é antiquado o uso de eletrodos para a realização de eletrocardiograma e eletroencefalograma. Para eles, o uso de dispositivos manuais destinados à leitura do campo eletromagnético do corpo será parte dos procedimentos clínicos rotineiros — a medicina futurista de *Jornada nas Estrelas* não está longe de se tornar realidade.

Neste livro, descrevo três invenções para as quais solicitei patente: o *Human Eyebeam Detection System* (Sistema de Detecção do Raio Emitido pelo Olho Humano), o *Whole Body EM Scanner* (*Scanner* Eletromagnético para o Corpo Todo) e o *Chakra EEG System* (Sistema de EEG para os Chakras). Esses três dispositivos ilustram a lógica, a utilidade e o potencial da ciência dos campos de energia humanos. Venho desenvolvendo a lógica e os princípios dessa nova ciência há quarenta anos. Foi necessário todo esse tempo para eu estudar meus próprios estados de consciência, assim como a minha antropologia, a filosofia, a física e a medicina, e unificar todas essas fontes de arte e de ciência em uma única teoria autenticamente científica. A teoria nos leva a um grande número de previsões e aplicações testáveis.

O que você vai encontrar neste livro?

Campos de Energia Humanos é diferente de todos os livros que lidam com assuntos como a mente, a física, os campos energéticos, a medicina energética e a consciência listados na Bibliografia. Essas diferenças são as seguintes:

1. Ele descreve uma ciência e uma medicina de bases concretas com aplicações, hipóteses testáveis e instrumentação adequada.
2. Ele expõe de maneira simples e clara a falha lógica central do materialismo, do dualismo e do reducionismo.
3. Ele fornece um teste experimental decisivo da teoria dos campos de energia humanos.
4. Ele unifica as medicinas ocidental e oriental não apenas em teoria, mas também na realidade concreta e prática. A proposição central da ciência é: o campo de energia humano, denominado *chi*, *aura humana*, *força vital* ou *espírito humano* em diferentes sistemas filosóficos, e o campo eletromagnético do corpo são a mesma coisa.
5. Ele delineia aplicações práticas da teoria em muitos diferentes campos, entre eles a antropologia, a medicina, a agricultura, o desenvolvimento de armas, os sistemas de segurança, a fisiologia e a psicoterapia.
6. Ele descreve três dispositivos específicos que podem ser usados no estudo dos campos de energia humanos.
7. Ele prova cientificamente que, em um caso específico, a ciência ocidental está equivocada a respeito do que é "científico" e do que é "paranormal" (ao contrário do que pensa a ciência ocidental, o raio emitido pelo

olho humano é real). A partir disso, segue-se que a ciência ocidental poderia muito bem ter errado em outros aspectos.

A ciência dos campos de energia humanos unifica o subjetivo e o objetivo. O eletrocardiograma objetivamente real e a energia subjetiva do chakra do coração são a mesma coisa: são apenas linguagens diferentes para designar a mesma realidade, e não realidades diferentes. Isso não quer dizer que todas as declarações subjetivas a respeito de campos de energia humanos sejam automaticamente corretas ou cientificamente verdadeiras: algumas são e outras não. A ciência dos campos de energia humanos fornece uma teoria, uma instrumentação e uma metodologia para o estudo científico de muitas experiências antes catalogadas como místicas, religiosas, mágicas, primitivas, supersticiosas ou paranormais pelos parâmetros vigentes da física e das ciências sociais.

Eu não indico referências acadêmicas para cada afirmação que faço neste livro; os conhecimentos básicos de física, biologia, história da ciência e filosofia da ciência estão contidos nos livros apresentados na Bibliografia, a maioria dos quais é facilmente acessível.

Dr. Colin A. Ross

PARTE I

Fundamentos filosóficos

Eu venho desenvolvendo a ciência dos campos de energia humanos há quarenta anos. Para chegar ao material apresentado na terceira parte deste livro, que começa com o Capítulo 6, precisei ler muito. Essa leitura incluiu livros de física, filosofia da ciência, consciência humana, antropologia, medicina ocidental e filosofias orientais. Para fazer os prognósticos e criar os experimentos descritos neste livro, eu tive que corrigir um erro lógico central do materialismo ocidental. Esta parte do livro conduz o leitor pelos seis primeiros passos que eu dei no processo de desenvolvimento dessa nova ciência:

1. Ter a experiência direta e consciente dos campos de energia
2. Não desprezar essa experiência como inválida
3. Considerar as experiências como cientificamente verificáveis
4. Estudar cuidadosamente o problema por meio de leitura e reflexão
5. Refutar o dualismo cartesiano
6. Propor que o espírito é uma propriedade geral da matéria
7. Criar os experimentos, instrumentos e previsões dessa ciência

Sem esses sete passos, a ciência dos campos de energia humanos não teria sido desenvolvida. No entanto, para entender essa mesma ciência e trabalhar no desenvolvimento dos instrumentos e das aplicações descritos em *Campos de Energia Humanos*, não é necessário estar de acordo com sua filosofia. A partir da perspectiva dos experimentos, da instrumentação e das aplicações, a importância da filosofia não está no fato de ela ser correta, ou de que se tenha de concordar com ela – as ideias apresentadas nos três primeiros capítulos *possibilitaram* que a ciência dos campos de energia humanos fosse desenvolvida.

A filosofia do materialismo domina e embasa a ciência e a medicina do Ocidente. A ciência ocidental *proíbe* a realização de certos experimentos e a investigação de certos fenômenos, como os experimentos para detectar e caracterizar o raio emitido pelo olho humano, raio esse que, de acordo com a ciência ocidental, não tem permissão para existir.

Uma grande parte da resistência vem do vocabulário que se usa. Por exemplo, se eu afirmo que posso enviar um feixe de raios de energia através dos meus olhos para fazer com que um som se manifeste em um alto-falante, isso é considerado "paranormalidade". Se tentasse estudar o raio emitido pelo olho humano em alguma universidade e usando esse vocabulário, eu não seria levado a sério. Entretanto, se, em vez disso, eu disser que o campo eletromagnético do cérebro é emitido através das cavidades oculares (as aberturas no crânio onde estão os olhos), pode ser captado pelos eletrodos do eletroencefalograma e usado para disparar um sinal sonoro de reforço positivo em um aparelho de *neurofeedback* equipado com *software* e *hardware* apropriados, minhas palavras passam então a ser entendidas como uma hipótese científica, e não como a afirmação de um fenômeno paranormal.

Proponho que a "força vital" e o campo eletromagnético do corpo são a mesma coisa. Para estudar a *força vital*, o *chi* ou a *aura humana*, é necessário medir o campo eletromagnético gerado por cada átomo, molécula, célula, tecido e órgão do corpo humano — e pelo corpo humano como um todo. Isso leva a uma unificação das medicinas oriental e ocidental e possibilita o estudo científico de uma ampla faixa de experiências, métodos de cura e crenças populares que são vistos como paranormais, místicos, supersticiosos ou primitivos pela ciência e pelo materialismo do Ocidente.

Capítulo 1

O ESPÍRITO É UMA PROPRIEDADE GERAL DA MATÉRIA

Para poder criar a ciência dos campos de energia humanos, tive de fazer comigo mesmo terapia cognitiva em um nível filosófico. Tive de corrigir em mim mesmo erros cognitivos essenciais, erros que herdei por pertencer à civilização ocidental. Adotei a antiga prescrição "médico, cura-te a ti mesmo" no plano filosófico. De maneira semelhante ao procedimento usado na terapia cognitiva com indivíduos que sobreviveram a traumas, tive de considerar a dissociação que a civilização ocidental impõe entre mente e corpo e entre matéria e espírito, e tive de refutar o dualismo e o reducionismo cartesianos. Só depois de fazer isso é que pude criar uma ciência que unifica as medicinas oriental e ocidental.

Para estabelecer bases filosóficas seguras para a nova ciência, tive de refutar o dualismo e o reducionismo cartesianos. Essa ciência requer uma base filosófica diferente. O que se segue é minha tentativa para estabelecê-la.

A filosofia básica da ciência ocidental

O reducionismo é o fundamento filosófico da ciência, da medicina e da tecnologia ocidentais. De acordo com o reducionismo, o universo é uma máquina sofisticada, e o espírito é um postulado desnecessário que não pode ser estudado por meio do método científico. O dualismo cartesiano é o precursor histórico do reducionismo. O espiritual foi dissociado do físico por Descartes, mas ele o tratou como um elemento especial fora da ciência. Depois de Descartes, o espírito foi completamente descartado, o que deixou o universo reduzido a um mero sistema mecânico totalmente desprovido de alma ou espírito — o universo da ciência reducionista ocidental.

Mas creio que ao rejeitar o dualismo e o reducionismo cartesianos, e adotar em seu lugar uma filosofia da unidade, consigo evitar uma contradição fatal e essencial no sistema lógico do dualismo, do materialismo e do reducionismo. Uma vez reconhecida, essa falha lógica essencial torna o reducionismo insustentável como perspectiva filosófica. Isso, por sua vez, abre a possibilidade de uma ciência nova e diferente, alicerçada em um diferente fundamento.

O reducionismo é um corolário do dualismo e, portanto, evapora-se quando o dualismo é rejeitado. O reducionismo, o positivismo, o ateísmo e o materialismo — todos eles variantes da mesma filosofia — negam a existência de Deus ou do espírito, mas, simultaneamente, fazem afirmações que dependem do dualismo e da existência de um espírito, alma ou Deus extracientíficos. O reducionismo está errado porque é logicamente inconsistente, autocontraditório e insustentável. Em minha opinião, ele é também cientificamente equivocado.

O dualismo cartesiano leva ao reducionismo

René Descartes publicou seu *Discurso sobre o Método* em 1637, cinco anos antes do nascimento de Isaac Newton. Nesse livro, ele estabelece o fundamento filosófico da ciência, da medicina e da tecnologia ocidentais. De acordo com Descartes, o universo foi criado por Deus, mas depois de tê-lo criado, Ele recuou e permitiu que o universo se desenvolvesse e funcionasse por conta própria. No entanto, para não se indispor com a religião, Descartes, da boca para fora, estipulou que Deus mantém o universo em funcionamento emprestando-lhe Sua "ação preservadora". Tal ação, no entanto, é um postulado desnecessário da perspectiva materialista e por isso foi considerado não científico e descartado pela ciência ocidental:

> *No entanto, eu não quis inferir de todas essas coisas que este mundo tenha sido criado da maneira como descrevi, pois é muito mais provável que, desde o princípio, Deus o tenha criado da maneira que ele deveria ser. Mas é certo, e esta é uma opinião comum entre os teólogos, que a ação por meio da qual ele o conserva agora continua sendo a mesma por meio da qual ele o criou; de maneira que, mesmo não tendo no início dado a ele qualquer forma que não fosse a do caos, contanto que ele tenha estabelecido as leis da natureza e emprestado a ele sua ação preservadora para permitir que ele funcionasse como de costume, pode-se acreditar, sem descrer no milagre da criação, que apenas dessa maneira todas as coisas que são puramente materiais poderiam, no seu devido tempo, ter criado a si mesmas da maneira como as vemos hoje; e a natureza delas é muito mais fácil de ser apreendida quando as vemos como tendo sido plenamente criadas desde o início. (p. 64)*

De acordo com Descartes, não apenas o universo é uma máquina automática, mas também o é tudo que há nele, inclusive o corpo humano. Os corpos dos animais são meras máquinas, enquanto o corpo humano é infundido com uma alma racional que dá origem ao pensamento, à consciência e ao lema de Descartes: "Penso, logo existo." A alma racional está para o corpo humano assim como Deus está para o universo: ambos são a alma na máquina. No entanto, a alma é um postulado desnecessário de uma perspectiva reducionista e, como tal, foi considerada não científica e descartada pela ciência ocidental:

> *Isso de maneira alguma parece estranho para aqueles que, sabendo quantos diferentes autômatos ou máquinas móveis a indústria humana pode conceber, usando apenas algumas poucas peças, em comparação com o grande número de ossos, músculos, nervos, artérias, veias e todas as outras partes que existem no corpo de cada animal, considerarão esse corpo como uma máquina que, tendo sido criada pelas mãos de Deus, é incomparavelmente mais bem ordenada e tem em si movimentos mais admiráveis do que qualquer um daqueles que possam ser inventados pelos homens. (p. 73)*

O dualismo cartesiano requer uma total separação entre espírito e matéria. O espírito (Deus e a alma humana) existe em uma esfera ou dimensão separada da matéria e da energia física. Apesar de reconhecer, da boca para fora, a existência de Deus, da alma e da religião, para Descartes, a mente humana é um epifenômeno do corpo. Todas as doenças do corpo e da mente serão, em última análise, entendidas e tratadas empenhando-se na cura de estados biológicos enfermos do corpo. Na medicina do futuro distante de Descartes, que é a nossa de hoje, o conhecimento total do corpo erradicaria as doenças e prolongaria a vida humana. A medicina era pouco desenvolvida na época de Descartes, mas estamos hoje mais próximos de uma explicação completa das doenças do que estávamos em 1637. Os contínuos avanços científicos acabariam, de acordo com Descartes, resultando na cura de todas as doenças, uma vez que todos os mecanismos fossem entendidos:

> *... em vez da filosofia especulativa ensinada nas escolas, pode-se descobrir uma filosofia prática pela qual, conhecendo-se o poder e os efeitos do fogo, da água, do ar, das estrelas, dos céus e de todos os outros corpos que nos cercam, tão distintamente como conhecemos os diferentes ofícios de nossos artífices, podemos usá-los de todas as maneiras apropriadas e, com isso, nos tornarmos, por assim dizer, mestres e proprietários da natureza. Não se deve desejar que um tal propósito se dirija apenas à invenção de uma infinidade de dispositivos por meio dos quais poderíamos desfrutar, sem qualquer esforço, os frutos da terra e tudo o que ela nos oferece, mas também, e principalmente, à preservação da saúde, que é, sem dúvida, o bem principal e a base de todos os outros bens desta vida; pois a mente depende tanto do temperamento e da disposição dos órgãos do corpo que, se for possível encontrar algum meio de tornar os homens mais sábios e mais capazes do que têm sido até agora, eu acredito que ele deva ser procurado na medicina. É verdade que a medicina praticada hoje tem poucos usos notáveis; mas sem querer desprestigiá-la, tenho certeza de que não há ninguém, mesmo entre os que a praticam, que não admita ser o que se conhece dela quase nada em comparação com o que ainda não é conhecido e que poderíamos nos livrar de uma infinidade de doenças, tanto do corpo como da mente, e talvez até mesmo das causadas pelo avanço da idade, se soubéssemos o suficiente sobre suas causas e sobre todos os remédios com os quais a natureza nos proveu. (p. 78)*

No âmbito da "filosofia prática" de Descartes, admite-se a causalidade da doença mental grave supondo-se que ela siga ao longo de um único sentido: do cérebro para a mente. A "mente" é, na realidade, um postulado desnecessário do ponto de vista da medicina cartesiana: a "mente" não passa, por assim dizer, de um sinal de taquigrafia para indicar um efeito ou produção do cérebro dentro da visão de mundo reducionista. A mente pode ser reduzida ao cérebro; Deus, a alma e o espírito evaporaram do universo científico ocidental.

A falha lógica que está no âmago do materialismo ocidental se evidencia na afirmação de Descartes segundo a qual um conhecimento completo de todos os mecanismos biológicos acabaria levando à descoberta de remédios para "uma infinidade de doenças, tanto do corpo como da mente". A cura de doenças da mente pela cura do corpo é possível apenas se houver interação entre corpo e mente, mas Descartes rejeitava qualquer interação entre essas duas esferas dissociadas. Com isso, sua filosofia se contradiz em seu próprio núcleo.

A solução reducionista para essa contradição consiste em reduzir a mente a um epifenômeno; "mente" passa a ser uma maneira obsoleta para falar sobre a função do cérebro. A contradição lógica central que há dentro da ciência ocidental é uma maneira camuflada e sub-reptícia de reintroduzir o espírito de diferentes maneiras que descreverei a seguir. A ciência ocidental afirma ter rejeitado e desautorizado a existência do espírito, mas, na verdade, ela o reintroduz por meio de um vocabulário disfarçado.

Um problema de física não resolvido: A natureza do espírito

A ciência moderna age como se tivesse descartado toda religião e superstição e que, por isso, não precisa mais lidar com Deus, com a alma ou com o espírito. No entanto, tudo que a ciência moderna tem feito é proibir que se considere seriamente um problema não resolvido. Cientistas declararam que o problema da natureza do espírito está fora da alçada da ciência, mas esse problema persiste apesar de os cientistas ocidentais terem proibido qualquer menção a ele no âmbito da ciência. Proponho que o problema da natureza do espírito seja considerado como um problema de física: a física é o estudo de como o universo funciona e o espírito faz parte do universo.

A falha lógica essencial do reducionismo

Na história da civilização ocidental, o reducionismo esteve presente na filosofia dos atomistas gregos. Ele se tornou o ponto de vista filosófico predominante nos mundos acadêmico e científico depois da Idade Média. O reducionismo — também chamado de materialismo, positivismo e ateísmo — está em processo de extinção e em algum momento do futuro ele será visto como uma divertida curiosidade histórica. Uma das razões para a iminente morte do materialismo é a falha lógica central de seu fundamento. Essa falha se evidencia na distinção entre matéria animada e inanimada.

De acordo com o materialismo, o universo não contém alma, nem Deus nem espírito. Ele consiste apenas em forças físicas e objetos que interagem cegamente de acordo com as leis da física, sem qualquer propósito, significado ou sentido mais elevado. Isso inclui os seres humanos, que são meras máquinas biológicas jogadas de um lado para outro por suas heranças genéticas e suas circunstâncias ambientais. A evolução ocorre automaticamente de acordo com a seleção natural e a sobrevivência dos mais aptos. O universo materialista é uma máquina vazia, desprovida de qualquer finalidade superior — um mecanismo complexo, mas ainda assim apenas uma máquina. Toda matéria se reduz a átomos e esses às forças fundamentais que os formam.

O reducionismo é a doutrina segundo a qual tudo pode ser *reduzido*, ou resumido, às forças fundamentais da física: a biologia é reduzida à química, e essa, por sua vez, é reduzida a física. Reducionismo, materialismo e ateísmo são diferentes aspectos da mesma essência filosófica.

A estrutura da falha lógica essencial do materialismo e do reducionismo

A estrutura da falha lógica essencial do materialismo ocidental é ilustrada pela seguinte proposição:

> *Existe apenas um país no mundo: eu vou passar as férias em um país estrangeiro.*

As duas afirmações acima não podem ser verdadeiras ao mesmo tempo. Se existe apenas um país no mundo, não é possível ir passar as férias em um país estrangeiro. E, alternativamente, se vou passar as férias em um país estrangeiro, não é possível que haja apenas um país no mundo.

Essa proposição só pode ser aceita se ignorarmos sua contradição lógica. Uma vez que ela é apontada, e reconhecida, a pessoa precisa parar de afirmar a proposição original e substituir uma das duas proposições logicamente consistentes:

> *Existem muitos países no mundo; vou passar minhas férias em um país estrangeiro.*
> *Existe apenas um país no mundo; não vou passar minhas férias fora deste país.*

Os materialistas ocidentais cometem o mesmo erro lógico que o proponente da primeira proposição acima, conforme ilustrarei a seguir.

A distinção entre matéria animada e matéria inanimada

É fato aceito na ciência moderna que a matéria pode ser animada ou inanimada. Na faculdade de medicina foi-me ensinado que apenas os organismos biológicos são vivos: as rochas são evidentemente inanimadas; os vírus podem ser considerados organismos transitórios ou intermediários, mas são na realidade inanimados, porque não realizam processos biológicos como a respiração celular. As amebas são organismos vivos, de maneira que a mente é irrelevante para a distinção entre matéria animada e inanimada.

Essa distinção entre matéria animada e inanimada ilustra a persistência difundida, mas não reconhecida, do dualismo cartesiano na ciência reducionista. Se não existe alma, espírito, *élan vital* ou Deus, se a mente é um epifenômeno do cérebro e se a biologia pode ser reduzida à química e a química, por sua vez, à física, então qual é a diferença científica entre matéria animada e inanimada? Será que as leis da física nas amebas ou nas células do fígado humano são diferentes das que vigoram nas rochas?

De uma perspectiva mecanicista, reducionista, tudo pode ser reduzido à física. Para os atomistas gregos, isso significava átomos, enquanto para a mecânica quântica isso significa quarks, mas a filosofia é a mesma: o universo é uma máquina desprovida de alma. Se, no entanto, não existe nada além de energia e matéria, e se a matéria é apenas uma configuração de energia ($E = mc^2$), então não pode haver nenhuma diferença científica fundamental entre matéria animada e inanimada.

A distinção entre matéria animada e matéria inanimada, de uma perspectiva reducionista, tem de ser um anacronismo, desprovido de significado real. É apenas uma ilusão, um hábito de linguagem ou uma superstição. Tudo precisa estar morto se não existe alma ou espírito no universo. Qual é, então, a diferença entre uma pessoa viva e uma pessoa morta? A física oficial, em sua forma moderna, está comprometida com a visão de que não existe nada a ser levado em conta fora do domínio da física: nenhum Deus, nenhuma alma, nenhum espírito. Uma entidade viva não pode, portanto, ser fundamentalmente diferente de uma entidade morta.

O reducionismo defronta-se com um obstáculo intransponível. Nenhuma pessoa sensata concordará com o fato de que, cientificamente, estamos todos mortos. O reducionista procura fazer com que ambas as afirmações sejam verdadeiras: não existe nenhum Deus nem espírito; algumas coisas são animadas e outras são inanimadas; e tudo se reduz às mesmas leis e funções da física. Isso se parece com aquele jogo no qual nos pedem para que adivinhemos, debaixo de três xícaras emborcadas, em qual delas está um pequeno objeto, ou então, com um truque com cartas. Se o reducionista mover as cartas com suficiente rapidez, ninguém perceberá que o *élan vital* foi retirado do baralho, mas, em seguida, ele é sub-repticiamente colocado de volta, assim como ocorre com a distinção entre objetos animados e inanimados.

Algumas matérias podem ser animadas, enquanto outras são inanimadas, mas isso apenas se a matéria viva possuir uma propriedade que não esteja presente na matéria inanimada. Não pode haver uma diferença fundamental entre a matéria animada e a inanimada a não ser que haja uma "força vital" fora das leis da física moderna. A ciência moderna não admite a existência de uma força vital extracientífica, mas mantém a distinção entre matéria animada e inanimada. Essa é a contradição fatal inerente ao sistema lógico do materialismo.

O conteúdo da falha lógica central do materialismo

O materialismo não faz afirmações com respeito a passar férias em países estrangeiros. Em vez disso, faz afirmações sobre a natureza do universo.

> *Nenhuma "força vital" é permitida porque tudo se reduz a forças físicas inanimadas: algumas coisas são vivas e algumas coisas são mortas.*

Essa falha lógica central é ignorada ou camuflada pela ciência materialista do Ocidente. Os materialistas – biólogos, fisiologistas, físicos e geneticistas – falam sobre "as origens da vida" e afirmam que elas ocorreram no oceano primordial há cerca de um bilhão de anos, quando compostos inorgânicos se ligaram para formar compostos orgânicos, que então se auto-organizaram aleatoriamente de acordo com as leis da física e da química para formar o primeiro organismo vivo. Antes disso, segundo eles, não havia vida na Terra.

A distinção entre matéria animada e inanimada, e a ideia de que houve uma "origem da vida" na Terra há cerca de um bilhão de anos são variantes do mesmo erro lógico central. Esses dois erros lógicos são endossados praticamente por todos os biólogos, físicos, bioquímicos e outros cientistas modernos.

É logicamente impossível que algumas coisas sejam dotadas de vida se tudo se reduz às leis das partículas inanimadas e não é reconhecida a existência de nenhum Deus, alma, espírito, "força vital", *élan vital*, energia chi ou outra força extracientífica. Logicamente, apenas uma de duas proposições pode ser verdadeira se tudo se reduz às quatro forças fundamentais da física (as forças nucleares forte e fraca, a gravidade e os campos eletromagnéticos):

Todos nós somos seres mortos e inconscientes.
Tudo tem vida.

Com respeito à origem da vida, as duas afirmações logicamente consistentes são:

Tudo está morto.
A origem da vida ocorreu na origem do universo.

Como é absurdo afirmar que todos nós somos seres mortos e inconscientes, a única alternativa lógica é o animismo. Como é evidente que não somos seres mortos, a posição materialista é autocontraditória. No entanto, se tudo tem vida, então a palavra "vivo" não está se referindo a nenhum processo biológico. Em vez disso, toda energia, toda matéria e até mesmo o espaço e o tempo têm vida. "Ter vida" significa então "existir". O animismo é conceitualmente consistente; ele difere do materialismo no sentido de que admite a existência do espírito. De acordo com o animismo, o espírito é uma propriedade geral da matéria (e da energia, do espaço e do tempo), em vez de ser um princípio separado existindo em uma segunda esfera dualista ou dimensão fora do mundo material.

Existem apenas duas possibilidades lógicas, se afirmamos que não existem forças fundamentais além das conhecidas da física: não existe alma nem espírito nem Deus (materialismo); ou o espírito é uma propriedade geral da matéria (animismo).

Nenhuma dessas possibilidades lógicas permite uma distinção fundamental entre matéria animada e inanimada. A única maneira de sustentar a distinção entre matéria animada e inanimada, enquanto se defende uma visão de mundo materialista, consiste em reintroduzir sub-repticiamente o *élan vital* no universo, ou seja, em reintroduzir o dualismo.

O *élan vital* é reintroduzido no sistema lógico em todas as análises que invocam propriedades emergentes de sistemas complexos para explicar a mente, a consciência, a alma ou o espírito. Os termos *espírito, élan vital* e *propriedade emergente* diferem apenas semanticamente. De acordo com a solução de reintroduzir a propriedade emergente no problema mente-corpo, a mente é uma propriedade emergente dos processos elétricos e bioquímicos que ocorrem no córtex do cérebro humano. Exatamente o que significa "propriedade emergente" e como ela funciona ninguém sabe nada a respeito — "propriedade emergente" é apenas uma versão com ares técnicos da *alma racional* de Descartes.

Em que sentido estou usando a palavra *animismo*? Simplesmente no sentido de que tudo tem a propriedade do espírito. Não estou endossando nenhum fatalismo, panteísmo ou politeísmo, nem tampouco endossando ou me opondo ao monoteísmo. A existência de um Deus pessoal não é nem provada nem refutada, como tampouco é objetada nem endossada pela ciência dos campos de energia humanos. No monoteísmo, pelo que me parece, Deus está em toda parte e é vivo, sensível e espiritual. Estou dizendo a mesma coisa, mas estou omitindo a natureza pessoal de Deus. Não a rejeito, simplesmente deixo-a fora da ciência. Estou definindo um ramo da ciência e medicina que requer uma filosofia de unidade, não de dualismo.

A ciência dos campos de energia humanos é neutra quanto à existência de um Deus pessoal que faz julgamentos morais.

Um Deus pessoal, se assim se poderia dizer, é um acréscimo ao animismo no sentido em que estou usando o termo. O animismo, do meu ponto de vista, é indistinguível do monoteísmo, se subtrairmos desse último a natureza pessoal de Deus. Do meu ponto de vista, o ateísmo é igualmente indistinguível do animismo, se desse último subtrairmos o espírito. A única coisa que eu estou rejeitando é o dualismo e a única coisa que estou endossando é a unidade. A ciência dos campos de energia humanos é, eu acredito, compatível com todas as grandes religiões, exceto que não exige um Deus de natureza pessoal: assim como não se exige de um médico que acredite em um Deus de natureza pessoal para solicitar um eletroencefalograma ou eletrocardiograma, essa é tampouco uma exigência para o estudo científico dos campos de energia humanos.

Watson e Crick afirmaram ter descoberto o "Segredo da Vida"

Em 28 de fevereiro de 1953, Francis Crick entrou no *pub* Eagle de Cambridge, Inglaterra, anunciando que ele e James Watson haviam descoberto "o segredo da vida". A afirmação de Crick é logicamente impossível. O que Watson e Crick haviam descoberto era a estrutura do DNA, por cuja façanha eles certamente mereciam um Prêmio Nobel, mas é logicamente impossível que eles tivessem descoberto "o segredo da vida". A afirmação deles dá outro exemplo da reintrodução sub-reptícia do dualismo na forma de distinguir a matéria animada da matéria inanimada.

Watson e Crick não poderiam ter descoberto o segredo da vida, porque não haviam demonstrado haver nenhuma diferença científica entre o DNA animado e DNA inanimado. O DNA inanimado existe por todo o planeta, assim como o DNA animado. Que propriedade, princípio ou qualidade possui o DNA animado que deixa de existir quando ele morre?

Um mecânico de automóveis poderia entrar no *pub* Eagle de Cambridge dizendo que havia descoberto o segredo da vida porque havia descoberto o motor de combustão interna. Esse mecânico não seria levado a sério porque, apesar de o motor fazer o carro funcionar, o carro não tem vida, de acordo com a distinção entre coisas animadas e inanimadas. Além disso, o mecanismo físico de uma entidade não pode conferir-lhe vida, de acordo com o reducionismo, uma vez que ele não admite a existência de nenhuma "força vital". Isso vale tanto para carros como para amebas, motores de combustão interna e DNAs. Além disso, é perfeitamente possível, conceitualmente, a existência, em outros planetas, de organismos biológicos que não possuem DNA, uma vez que a existência de DNA pode não ser necessária para a existência da vida.

A inconsistência lógica da afirmação de Francis Crick sobre a descoberta do "segredo da vida" fica evidente quando consideramos a prescrição de um suplemento de ferro para uma mulher grávida levemente anêmica. Nenhum cientista ocidental diria que o ferro tem vida quando o farmacêutico o entrega à mulher. Ele tampouco tem vida quando desce pelo esôfago dela. O que dizer dele quando é absorvido e transferido para sua corrente sanguínea ao longo do seu trato gastrointestinal? Evidentemente, o ferro continua sem vida, pois uma parte dele é excretada antes de a outra parte ser incorporada à hemoglobina. Talvez o ferro ganhe vida no momento em que é incorporado a uma molécula de hemoglobina.

Mas o que mudou nos átomos do ferro que a mulher ingeriu? Eles ganharam ou perderam nêutrons ou prótons? Será que eles subitamente adquiriram uma forma de energia desconhecida da física? Da uma perspectiva quantomecânica, tudo o que ocorreu com os átomos de ferro foi uma reconfiguração reversível do seu campo eletrônico (isso vale para todos os processos vitais e reações bioquímicas). Quando os glóbulos vermelhos que contêm a molécula de hemoglobina morrem, os átomos de ferro também morrem, de acordo com a distinção entre matéria animada e inanimada.

Essa é a autocontradição interna fatal inerente ao dualismo e ao reducionismo: de acordo com o reducionismo, os átomos de ferro não podem tornar-se "vivos", depois "morrer" e depois nascer de novo se forem incorporados a outra prescrição de ferro para outra mulher grávida. Se um átomo de ferro não pode morrer e depois nascer de novo, então isso tampouco pode ocorrer com uma molécula da qual o átomo de ferro faz parte e tampouco pode ocorrer com qualquer organismo do qual essa molécula faz parte. Para ser consistente e convincente, o reducionismo precisa ser simétrico: nenhuma propriedade (a "força vital") pode desaparecer quando seguimos a ordem descendente de um organismo biológico até uma molécula ou átomo, como tampouco nenhuma pode surgir quando seguimos a ordem inversa. O cérebro humano não pode ter nenhuma propriedade que não seja inerente aos átomos, pois ele simplesmente é um grande conjunto de átomos.

De uma perspectiva reducionista, seres humanos, amebas, moléculas de DNA e toda matéria são apenas configurações de átomos – nada mais existe. O segredo da vida não pode ser desvendado pela descoberta da estrutura do DNA, assim como ele não pode ser desvendado pela descoberta da estrutura de um átomo de ferro ou de um prego. A afirmação de Crick quanto a ter descoberto o segredo da vida é impossível para uma visão de mundo materialista que nega a existência da mente, da alma, do espírito, do *élan vital* e de Deus.

O mito das "Origens da Vida" revisitado

De acordo com a ciência materialista ocidental, "as origens da vida" ocorreram na Terra há um bilhão de anos: antes disso não havia nenhuma vida no planeta. Isso é logicamente impossível. Se não existe nenhuma "força vital", então não pode haver nenhuma "origem da vida". Tudo o que aconteceu, um dia há um bilhão de anos, foi alguma nova química, mas substâncias químicas não podem estar mortas e então tornar-se "vivas", assim como os átomos de ferro também não o podem. A origem da vida no planeta suscita o mesmo problema lógico suscitado pelo "nascimento", morte e reencarnação de um átomo de ferro ingerido por uma mulher grávida anêmica. De acordo com a ciência reducionista do Ocidente, os átomos ganharam vida pela primeira vez no oceano há um bilhão de anos; essa é uma variante da ideia de que a "mente" surgiu, pela primeira vez, do córtex do cérebro humano, talvez algumas centenas de milhares de anos atrás (a data do primeiro surgimento da mente não é claramente determinada pela ciência ocidental). O surgimento da vida e o surgimento da mente são ambos logicamente impossíveis no âmbito de uma visão de mundo reducionista.

Outra versão da falha lógica essencial do materialismo ocidental é a seguinte:

Nenhuma "força vital" extracientífica é admitida: a origem da vida ocorreu na Terra há cerca de um bilhão de anos.

Uma vez apontada e reconhecida essa contradição lógica, os cientistas materialistas terão que parar de falar sobre "as origens da vida" e parar de dizer que algumas coisas são vivas e outras são mortas. Eles terão de, em vez disso, aceitar uma das duas proposições logicamente consistentes:

Nada tem vida.

A origem da vida ocorreu com a origem do universo.

A segunda proposição não resolve o problema de como algo surgiu do nada por ocasião do big bang, mas ao menos ela é logicamente consistente no que diz respeito ao nosso universo. Se a vida teve origem no big bang, temos então que o animismo e o espírito constituem uma propriedade geral da matéria (Deus está em toda parte). Se nada tem vida, temos então o materialismo. Para quem não acredita na teoria do big bang, o termo mais genérico *origem do universo* pode ser usado para substituir o *big bang*.

A mente não pode ser reduzida ao cérebro porque a biologia pode ser reduzida à física

Para a medicina e a psiquiatria reducionistas, a mente pode ser reduzida ao cérebro. No entanto, a mente não pode ser realmente explicada pela biologia do cérebro, pois a biologia do cérebro pode ser reduzida à química e a química, por sua vez, pode ser reduzida à física. Se um átomo não tem mente, então dois átomos também não têm mente, conforme a equação (2 x 0 = 0). Se você substituir o primeiro fator dessa equação por $10^{1.000.000.000.000.000.000.000}$, o resultado da operação matemática ainda será zero.

A única maneira de o cérebro poder ter uma mente é cada átomo contido no cérebro ter uma mente minúscula. Caso contrário, a mente precisa ser uma propriedade emergente que não existe nos átomos e que não pode ser explicada pela gravidade, pela força eletromagnética, pela força nuclear forte ou pela força nuclear fraca: a "mente" precisa ser uma quinta forma de energia que se situa fora da física conhecida. No entanto, essa conclusão é proibida pela ciência reducionista.

O laureado com o Prêmio Nobel de Medicina, Gerald Edelman, em coautoria com Giulio Tononi, desenvolveram um modelo neuronial das origens da consciência (Edelman e Tononi, 2000). Eles afirmam que: "Qualquer que seja a qualidade especial do cérebro humano, não há nenhuma necessidade de se invocar forças espirituais para responder por suas funções. Os princípios darwinianos de variação nas populações e da seleção natural são suficientes e os elementos invocados pelo espiritualismo não são necessários para que sejamos conscientes." (p. 81)

Essa é uma afirmação da visão materialista, segundo a qual nenhuma força desconhecida da física é admitida. No entanto, Edelman e Tononi argumentam simultaneamente que a consciência é uma propriedade emergente da organização eletrobioquímica do cérebro. Essa é uma postura dualista que requer uma força ou energia não levada em conta pela física moderna, e não associada a nenhuma matéria existente no universo, a não ser o cérebro humano. Portanto, o que Edelman e Tononi fizeram foi simplesmente reafirmar a existência da alma racional de Descartes com palavras diferentes. Eles são simultaneamente dualistas e reducionistas, assim como é Francis Crick, mas essa é uma posição logicamente insustentável.

Edelman e Tononi usam a expressão "propriedade emergente" — que apesar de parecer técnica e científica, conceitualmente não é diferente de "força emergente" que, por sua vez, não é conceitualmente diferente da "alma racional" de Descartes. Uma "força emergente" seria, entretanto, uma quinta força não admitida pelo materialismo, de maneira que a introdução sub-reptícia de uma quinta força tem de ser disfarçada chamando-a de "propriedade" emergente em vez de "força" emergente. Edelman e Tononi afirmam que não estão invocando "forças espirituais", mas na verdade estão usando um vocabulário diferente.

Na ciência e na medicina do Ocidente, os psiquiatras estudam a mente, mas a mente (a psique) na realidade não existe de uma perspectiva materialista. A mente admitida pela ciência reducionista não passa na realidade de uma "produção do cérebro". A "alma racional" de Descartes não é igualmente admitida. Não existe uma alma racional, nem uma mente e nem uma propriedade emergente podem ser reduzidas à física básica.

No âmbito do materialismo, não existe nenhum mecanismo pelo qual a "consciência" possa emergir do córtex cerebral humano, assim como ela não pode emergir de um átomo de ferro. O verbo "emergir" não nos diz nada cientificamente. Não há nenhum mecanismo para a "emergência" e nenhum meio de testá-la ou demonstrá-la cientificamente. "Propriedade emergente" se parece com o *éter* da física do século XIX: é apenas uma palavra, e não uma coisa real que existe no universo. Uma palavra mais antiga descartada pela ciência ocidental é *flogisto* – flogisto era uma substância hipotética que se considerava, no século XVIII, estar envolvida na combustão. O flogisto acabou sendo descartado pela ciência porque não podia ser demonstrado e não explicava nada – tornou-se um postulado desnecessário.

De acordo com o reducionismo, a palavra "psiquiatria" também acabará sendo descartada, porque na realidade não existe nenhuma "psique", apenas o cérebro e suas funções biológicas. Finalmente, a biologia do cérebro será reduzida a química, em seguida à química quântica e finalmente à física quântica. Enquanto isso, nós continuamos a falar sobre a "mente" e a "saúde mental" por hábito e convenção. Reduzir a mente ao cérebro é não admitir qualquer distinção entre matéria e espírito, levando apenas a duas possibilidades lógicas: nós não temos mente ou a mente é uma propriedade geral da matéria.

Não há "vida" em um átomo de ferro que esteja separada das forças nucleares forte e fraca, da gravidade e da força eletromagnética. Igualmente, não há uma "mente" que se possa encontrar na biologia materialista. A biologia moderna nunca pode explicar a mente, porque nega a sua existência. Se, no entanto, existe uma mente, ou espírito, ela precisa ser uma propriedade geral da matéria operando no nível quantomecânico. Isso porque a biologia é reduzida à química, a química à física e a física à mecânica quântica.

As quatro forças fundamentais reconhecidas até agora pela física

A física moderna reconhece quatro forças fundamentais: a gravidade, a força eletromagnética, a força nuclear forte e a força nuclear fraca. Se reduzimos a mente ao cérebro, o cérebro à química e a química à mecânica quântica, qual dessas quatro forças tem maior probabilidade de ser o espírito humano? O espírito humano não pode residir no campo gravitacional gerado pelo corpo humano porque esse campo é demasiadamente fraco. Tampouco o espírito pode existir apenas no interior do núcleo. A única candidata que resta é a energia eletromagnética.

O que medimos quando medimos cientificamente a operação da mente humana? O eletroencefalograma (EEG). O que precisamos para concluir que a mente de uma pessoa está morta? Um EEG com uma linha horizontal, contínua. Sabemos que o cérebro gera um campo eletromagnético. O mesmo faz o coração e, nesse sentido, também o rim, o dedão do pé e cada átomo de ferro presente em cada molécula de hemoglobina de cada glóbulo vermelho.

Se quisermos estudar cientificamente a mente, o único candidato para ser "a mente" é o campo eletromagnético do corpo. No entanto, a mente, ou o espírito, precisa então ser uma propriedade geral da matéria, uma vez que toda matéria gera um campo eletromagnético: a mente não pode ser associada apenas ao cérebro humano, uma vez que as leis da física são as mesmas no cérebro e nos átomos de ferro. No nível quantomecânico, não existe nenhuma diferença fundamental entre matéria animada e matéria inanimada, nem tampouco entre matéria, energia, espaço e tempo. Isso também é verdadeiro no nível cosmológico, de acordo com a teoria da relatividade, uma vez que a estrutura do espaço e do tempo é inseparável da presença da matéria e da energia.

A natureza do espírito é um problema de física

Ou o espírito é uma palavra sem sentido ou ele é um problema de física. Se tudo se reduz à física, não há nenhuma outra opção possível. É por isso que o espírito precisa ser uma propriedade geral da matéria. Não podemos chegar a uma explicação completa do universo se não tivermos uma explicação completa do espírito. Eu não diferencio mente de alma de espírito e de consciência, pois eu os vejo como diferentes termos, com diferentes conotações, para designar a mesma coisa. Os reducionistas simplesmente declararam que a consciência não é um problema da física. É evidente por si mesmo que a mente e a consciência existem no universo. Essas coisas existem. Sua natureza e suas propriedades não podem estar fora da física e tampouco podem ser "sobrenaturais", "inefáveis" ou mais incompreensíveis do que o funcionamento de uma lanterna elétrica ou do motor de um automóvel.

Não se pode jogar dos dois lados sem perder a coerência lógica; os reducionistas negam a existência de Deus, da alma ou do espírito. Tudo bem declarar que Deus está morto, mas a morte de Deus não resolve este problema da física: "Qual é a natureza física da mente?" É óbvio que temos mente, consciência e percepção subjetivas. Resolver o problema declarando que o problema não existe é anticientífico.

O campo eletromagnético do corpo humano é o espírito humano

Proponho que o espírito seja uma propriedade geral da matéria. Quando medimos o campo eletromagnético do corpo humano, estamos medindo o espírito humano. Quando medimos o campo eletromagnético de uma rocha, estamos medindo o espírito dessa rocha. É isso o que o espírito é. Tenho certeza de que as rochas não têm opiniões sobre a política externa dos Estados Unidos. Isso porque a configuração da matéria/energia associada ao espírito de uma rocha é muito mais simples do que aquela que está associada ao cérebro humano.

A existência de Deus não é, portanto, apenas um problema cosmológico. É também um problema local no nível da experiência comum. O espírito existe e está em toda parte. É onde está a ciência dos campos de energia humanos, no mundo intermediário entre o muito pequeno (mecânica quântica) e o muito grande (teoria da relatividade). Com certeza, as propriedades fundamentais do campo eletromagnético humano precisam ser entendidas por meio da mecânica quântica, mas o meu foco é o nível macroscópico, a biosfera e a experiência humana consciente. Estou interessado em medir o campo de energia humano no mesmo nível em que normalmente fazemos com os aparelhos de ECG e EEG, apenas de uma maneira mais sutil e conceitualmente integrada, conforme descrevemos neste livro.

O dualismo cartesiano não tem como sobreviver, pois está fundamentado em um erro lógico. Se rejeitamos esse erro e partimos da suposição da unidade, então não há nenhuma possibilidade de reducionismo, uma vez que não há nada para ser reduzido. Se o espírito é uma propriedade geral da matéria, então Deus está em toda parte. Onde quer que haja tempo, espaço, matéria ou energia, há espírito. Logicamente, eu argumento, a única maneira de isso não ser verdade é admitir que somos todos mortos e inconscientes. O materialismo propõe exatamente isso, mas a afirmação é tão absurda que os materialistas são forçados a reintroduzir a mente, o espírito e a força vital na forma da distinção entre matéria animada e matéria inanimada. Com isso, eles introduzem uma falha lógica fatal no fundamento de sua visão de mundo.

A ciência dos campos de energia humanos está baseada em uma suposição simples: o espírito é uma propriedade geral da matéria. Cada átomo possui uma consciência ou espírito rudimentar. O espírito de uma rocha ou de um lago é mais complexo, mais interativo, mais perceptível e mais amplamente distribuído do que o espírito de um átomo individual. Isso não quer dizer que as rochas tenham pensamentos humanos. Apenas os seres humanos têm consciência humana. A consciência de uma rocha é menos complexa, mas não menos real do que a de um ser humano. As rochas "conhecem" as coisas, mas não da maneira como nós as conhecemos (desenvolvo esse tema em meus outros livros, que incluem *Spirit Power Drawings*, *Songs for Two Children*, *Northern Canada* e *Literary and Anthropological Studies*, mas ele está fora do foco deste livro).

Isso tem de ser verdade se rejeitamos o dualismo cartesiano. Se o dualismo não é admitido, apenas uma de duas opções é possível: somos todos mortos e inconscientes ou o espírito é uma propriedade geral da matéria. A ciência ocidental endossa a primeira opção, mas ela é tão evidentemente absurda que é, ao mesmo tempo, rejeitada até pelos materialistas, que disfarçam sua reintrodução do dualismo com o uso de um vocabulário pretensamente técnico sobre as *propriedades emergentes*. Quem acredita realmente e sinceramente no reducionismo fica sem base para se opor ao estupro, ao assassinato, ao abuso de crianças ou ao genocídio, uma vez que todos esses atos seriam meras interações de átomos inconscientes, mortos, mecânicos e destituídos de sentido.

Mesmo os materialistas só acreditam no materialismo durante uma parte do tempo. Infelizmente, essa filosofia de meio período domina e limita a ciência e a medicina do Ocidente. É por isso que eu dediquei tempo, espaço, matéria e energia para refutar o reducionismo.

O círculo do reducionismo

O diagrama subjacente à ciência ocidental poderia ser chamado de *seta do reducionismo*. De acordo com o materialismo, o espírito não existe. A mente pode existir, mas na realidade não passa de um epifenômeno ou hábito de linguagem. A estrutura do universo pode ser representada da seguinte maneira: a mente (espírito) é reduzida à biologia; a biologia é reduzida à química; a química é reduzida à física; e a física é o nível básico do universo. O diagrama dessa filosofia é uma seta:

A seta do reducionismo

O diagrama subjacente à ciência dos campos de energia humanos é um círculo. Eu uso uma lógica semelhante para considerar a linha de números inteiros positivos e negativos: ela me foi ensinada no colégio como uma reta de extensão infinita com o zero no centro, números inteiros positivos estendendo-se para o infinito à direita e números inteiros negativos estendendo-se para o infinito à esquerda. Mas será essa a verdadeira geometria dos números inteiros?

Como tanto os números inteiros positivos como os negativos se estendem para o infinito, eles teriam de se encontrar lá no infinito, era o que eu pensava comigo mesmo quando estava no colégio. Por isso, eu pensava, a reta dos números inteiros precisaria, na verdade, ser um círculo em um espaço de ordem superior (ver a seguir a elaboração dessa ideia). De maneira semelhante, de acordo com essa filosofia, o espírito é uma propriedade geral da matéria e, portanto, a seta do reducionismo é na verdade um círculo. Quando começamos pelo espírito e o reduzimos primeiro à biologia, depois à química e, por último,

O círculo do reducionismo

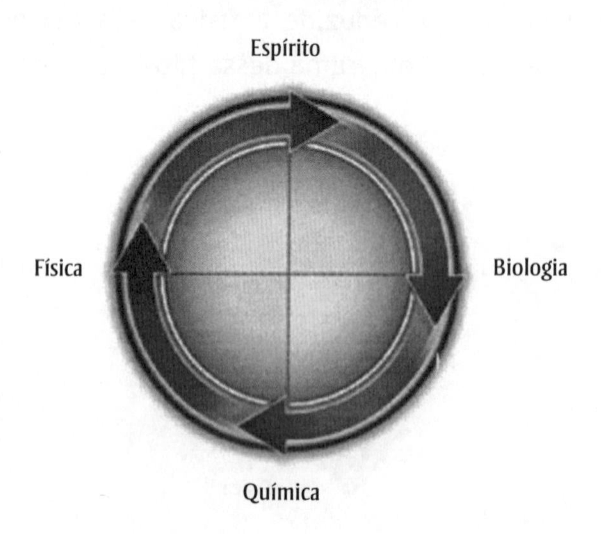

à física, há mais um passo: a física é reduzida ao espírito. O diagrama subjacente à ciência dos campos de energia humanos tem uma geometria diferente daquela da ciência materialista: (o círculo anterior).

A lógica que eu estou propondo é exatamente a mesma que a da geometria do universo proposta por Einstein. Em termos da teoria geral dos sistemas, a geometria da relação entre espírito e matéria é *isomorfa* à geometria do universo físico. O *isomorfismo* ocorre quando se pode observar a mesma estrutura, lógica, regra, geometria ou princípio em diferentes níveis de organização dentro de um sistema. Por exemplo, as regras psicológicas dentro de um indivíduo podem ser as mesmas regras jurídicas e sociológicas da sociedade em que ele vive, ou os princípios em ação em um átomo podem ser os mesmos princípios organizacionais de uma molécula ou célula.

De acordo com a física newtoniana, o universo se estende infinitamente em todas as direções e é mapeado pelo espaço euclidiano tridimensional. Se você partir em uma viagem em linha reta, poderá viajar por toda a eternidade e jamais alcançar a extremidade do universo. No entanto, de acordo com Einstein, se você viajar em linha reta acabará retornando ao ponto de partida: o universo é finito, mas ilimitado, e a linha reta é na verdade curva em um espaço de ordem superior. Uma jornada no sentido positivo começa no ponto zero, segue até o quilômetro +1, em seguida até o quilômetro +2, e assim por diante... e termina com o viajante passando pelos marcos do quilômetro -2, em seguida do quilômetro -1, e retornando ao ponto zero.

Estou propondo que a mesma geometria governa a relação entre espírito e matéria. Se você começa pelo espírito (ou a mente) e o reduz à biologia, depois à química, à física, depois ao nível mais fundamental da física, você volta ao espírito. O espírito pode ser reduzido à matéria e a matéria pode ser reduzida ao espírito. A seta do reducionismo é uma forma de lógica newtoniana-euclidiana que não se ajusta ao universo real, de acordo com a filosofia subjacente à ciência dos campos de energia humanos.

Não há necessidade de admitir a existência de uma "força vital" ou "energia sutil" que esteja fora da ciência ocidental. Há somente níveis progressivamente mais sutis do campo eletromagnético (EM). Esse campo fica progressivamente mais complexo e mais fraco à medida que passamos para níveis mais elevados de consciência: o campo magnético gerado pelo cérebro humano é um bilhão de vezes mais fraco do que o campo magnético principal da Terra e precisa ser muito mais complexo que ele em sua harmonia.

Os sinais eletromagnéticos usados nos telefones celulares já são tão "sutis" que não se pode vê-los nem senti-los, e os biólogos discutem a possibilidade de eles causarem ou não algum efeito biológico direto. No entanto, a questão importante não é saber se a poluição eletromagnética urbana exerce ou não algum efeito direto sobre a biologia. A questão que importa para a ciência dos campos de energia humanos é saber se a poluição eletromagnética urbana tem algum efeito *espiritual* direto. Nos próximos capítulos, explicarei como essa questão pode ser respondida no âmbito da ciência e da medicina ocidentais.

O telefone celular é um excelente modelo para a física do campo de energia humano. Alguns biólogos afirmam que os campos eletromagnéticos industriais não podem causar doenças por serem fracos demais para ter efeitos biológicos e se perdem na água, no calor e no ruído de fundo dos sistemas biológicos. Se, entretanto, rejeitamos o dualismo e o reducionismo, um efeito mensurável dos campos eletromagnéticos sobre o corpo humano certamente existe e não é mais místico do que um sinal eletromagnético produzido pelos toques de um telefone celular. Esse efeito ocorre inicialmente nos níveis sutis do campo mente-corpo do ser humano, os quais chamamos de *espírito*. Os sinais são transmitidos para o nível biológico por meio de uma série de transduções, amplificações e outros mecanismos causados gradualmente por influências remotas. Esse processo é basicamente o mesmo do sinal telefônico que é transmitido para um satélite e dali retransmitido à Terra e finalmente convertido em uma voz humana que pode ser ouvida no aparelho telefônico.

Os seres humanos são telefones celulares biológicos. Nós evoluímos por mais de um bilhão de anos em um mar de sinais eletromagnéticos que contêm informações importantes para a sobrevivência. Em capítulos posteriores, eu descrevo uma ampla faixa de previsões resultantes de pesquisas, experimentos e aplicações da ciência dos campos de energia humanos nas áreas de antropologia, religião, agricultura, psiquiatria e saúde pública; todos eles provêm desse modelo do telefone celular para os campos de energia humanos. Se um telefone celular pode transmitir, receber e decodificar sinais eletromagnéticos digitalizados altamente estruturados e extremamente fracos, então por que o sistema nervoso humano não poderia fazer o mesmo? De acordo com a ciência dos campos de energia humanos, o plexo solar é um dispositivo de comunicação eletromagnética que transmite e recebe informações importantes vindas da biosfera, do campo eletromagnético da Terra e do Sol. Esse postulado se baseia na minha experiência pessoal subjetiva de meu próprio plexo solar.

Sabemos que a energia vinda do sol interage o tempo todo com a biologia; a fotossíntese e a biossíntese da vitamina D são dois bons exemplos. Se a luz solar pode ser captada pela clorofila e transformada em energia biológica e em crescimento mensurável das plantas, então, potencialmente, muitos outros tipos de sinais eletromagnéticos poderiam ser recebidos e usados por plantas e animais. É um fato bem estabelecido que toda uma gama de diferentes espécies faz uso do campo magnético da Terra, por exemplo, para se orientar e navegar. Vivemos em um oceano de informações eletromagnéticas e, por enquanto, nossos estudos da física e biologia a respeito de como essas informações são usadas pelos organismos mal chegaram a arranhar a superfície.

Capítulo 2

A MECÂNICA QUÂNTICA E OS CAMPOS DE ENERGIA HUMANOS

A mecânica quântica é o ramo da física que estuda o funcionamento interno dos átomos. Ela lida com distâncias e tamanhos incrivelmente pequenos e é chamada mecânica quântica porque lida com os *quanta* ou partículas. O modo como as coisas funcionam na escala subatômica é muito estranho e desafia a lógica convencional do mundo da escala maior em que nós vivemos como seres humanos.

O propósito deste capítulo é explicar que, por um lado, a mecânica quântica é importante para a ciência dos campos de energia humanos e, por outro lado, ela não é importante. É evidente o quanto a mecânica quântica *é* importante. Nessa nova ciência, eu enfoco os campos eletromagnéticos gerados por cada átomo, molécula, célula e órgão do corpo. Como essa ciência se baseia em uma filosofia de unidade, isso significa que um entendimento fundamental do corpo e da mente, da matéria e do espírito requer a mecânica quântica. Proponho que o campo eletromagnético humano e o espírito humano são a mesma coisa: é claro, então, que o espírito humano precisa ter natureza quantomecânica.

Como a mecânica quântica *não é* importante para a nova ciência? Em minha leitura, vários autores e comentaristas tentaram me persuadir de que a mecânica quântica demonstra uma interação da consciência com a matéria. Esses argumentos não me convenceram e parecem fundamentados no dualismo. Os autores tentam demonstrar como algo fora da física moderna — a consciência — interage com a matéria. No entanto, a consciência só pode estar fora da física se ela reside em uma esfera ou dimensão separada da matéria e da energia.

Se o dualismo é rejeitado e o espírito considerado uma propriedade geral da matéria, a interação da consciência com a matéria ocorre no âmbito da física. A percepção humana é um evento que ocorre no universo físico. Onde mais ela poderia ocorrer?

Não estou tentando introduzir uma quinta força, princípio ou interação — a consciência — na física moderna. Em um nível prático, a mecânica quântica lida com "o problema do observador consciente" ignorando-o, apesar de os seus fundadores — Einstein, Bohr, Schrödinger e outros — terem ficado profundamente perturbados pelo problema do observador (ver Apêndice 2 — O Experimento da Dupla Fenda em Física, para mais detalhes sobre o observador consciente). Eu pretendo fazer a mesma coisa, ou seja, não me preocupar com as implicações filosóficas da mecânica quântica ao realizar experimentos ou inventar instrumentos que fazem uso dos campos de energia humanos. Eu acho que se pode afirmar com segurança que ninguém no planeta entende plenamente a mecânica quântica, sua lógica ou suas implicações filosóficas, embora muitas pessoas sejam altamente competentes no uso da instrumentação matemática da mecânica quântica.

Repetindo, eu não estou tentando introduzir uma quinta força na física, chamada mente, alma, espírito ou consciência. Eu proponho que tudo o que diz respeito aos campos de energia humanos seja considerado em termos de gravidade, de forças nucleares forte e fraca e de energia eletromagnética. Se a física oficial algum dia descobrir uma quinta (ou uma sexta ou uma décima) força necessária para se obter um modelo completo do universo físico, então essa força será incorporada à ciência dos campos de energia humanos. Até lá, ela não é necessária. Estou me referindo a um ECG ou EEG de todo o corpo, não a uma força vital, à energia *chi*, à aura humana ou a outro campo energético que se considera estar *fora* da física.

Eu elaborei a ciência dos campos de energia humanos de forma que ela não seja mais "filosófica" do que a solicitação de um ECG ou EEG pelo médico da família. A razão para eu esclarecer minha filosofia não está no fato de os campos de energia humanos serem mais "filosóficos" do que qualquer outro ramo da ciência. Eu entro na esfera da filosofia para remover os obstáculos à nova ciência erigidos pelo dualismo. O dualismo impede o estudo dos campos de energia humanos e da mente dentro de uma visão de mundo, de um conjunto de experimentos e de uma tecnologia unificados. Afora isso, a ciência dos campos de energia humanos não precisa de nenhuma interpretação filosófica da mecânica quântica para gerar hipóteses testáveis, experimentos, instrumentação, dados ou aplicações práticas.

Se o espírito é uma propriedade geral da matéria e se $E = mc^2$, então a interação da consciência com a matéria pode ser descrita pelas leis, equações, matemática e lógica da mecânica quântica. Não há nenhuma "consciência" acima, além, atrás ou separada do campo eletromagnético. Um observador humano não acrescenta nenhuma nova física ao aparelhamento experimental, além daquela para a qual ele contribui com um detector de fótons, um contador Geiger ou qualquer outro instrumento de medição.

A razão de a mecânica quântica não ter importância para a ciência dos campos de energia humanos pode ser mais bem entendida examinando-se o experimento da dupla fenda na física. Eu jamais vou entender a mecânica quântica nem a teoria da relatividade porque não consigo acompanhar sua matemática. No entanto, eu *consigo* acompanhar as interpretações filosóficas da mecânica quântica e posso identificar nelas erros de lógica. Minha análise do experimento da dupla fenda encontra-se no Apêndice 2 para não prejudicar o fluxo da leitura deste livro, uma vez que muitos leitores podem não ter interesse nela e — mais importante — porque ela pode ser mal-entendida. A teoria dos campos de energia humanos não depende de nenhuma análise das implicações filosóficas da mecânica quântica e nem requer nenhuma análise.

Uma advertência aos comentaristas sobre as implicações filosóficas da mecânica quântica

Eu acho que os comentaristas deveriam ser cautelosos quanto ao uso da mecânica quântica como prova de alguma interação entre a consciência e a matéria, da existência da consciência ou do livre-arbítrio ou de qualquer outra coisa de natureza filosófica. A ciência dos campos de energia humanos não requer nenhum desses argumentos filosóficos. E tampouco requer que minha análise do experimento da dupla fenda, apresentada no Apêndice 2, seja correta. Essa ciência está baseada em uma filosofia de unidade e na proposição de que o espírito é uma propriedade geral da matéria. O propósito da filosofia é *permitir* a realização de certos experimentos de natureza crucial. Quer você goste ou não da filosofia da unidade e, independentemente de você gostar ou não que ela seja ou não chamada de animismo, a ciência dos campos de energia humanos teve origem em uma sequência de eventos:

Quadro 2.1 A sequência de eventos que resultou na Ciência dos Campos de Energia Humanos

1. Experimentar consciente e diretamente os campos de energia
2. Não descartar essa experiência como não válida
3. Considerar a experiência como cientificamente verificável
4. Estudar cuidadosamente o problema por meio de leitura e reflexão
5. Refutar o dualismo cartesiano
6. Propor que o espírito é uma propriedade geral da matéria
7. Planejar os experimentos, os instrumentos e as previsões dessa ciência

Uma vez efetuados esses sete passos, a filosofia pode recuar para os bastidores e o processo de planejar os experimentos e instrumentos pode ter início.

Capítulo 3

O CÉTICO E O CRENTE: OS DOIS LADOS DO DUALISMO

Se você procurar na internet pelo tema "*human energy fields*" (campos de energia humanos), obterá uma lista de sites, da qual os dez ou vinte primeiros serão relativos a céticos e crentes. Vemos aí, em ação, a sociologia do dualismo. Meu propósito é ser como o gato de Schrödinger e chegar a um estado de *superposição* (ver o Apêndice 2 — O Experimento da Dupla Fenda em Física): Sou tanto cético como crente, mas também não sou nem cético nem crente. Acredito em ambos os lados e não acredito em nenhum. Eu não pertenço a nenhum deles porque rejeito o dualismo.

O problema com o crente nos campos de energia humanos é que a crença dele, ou dela, é com muita frequência meramente subjetiva. Aceitar o sistema de crença do crente é simplesmente uma questão de fé, não de provas. Eu descobri essa atitude no âmbito da psiquiatria. Em minha formação, meus supervisores acreditavam em Freud, mas não tinham quaisquer dados para sustentar suas crenças. E como se isso não bastasse, eles eram ativamente hostis a quaisquer tentativas ou propostas para testar empiricamente as teorias freudianas e a terapia psicanalítica. Aquilo parecia mais uma religião que uma ciência.

A dúvida era definida como superficialidade e qualquer pedido de provas era considerado heresia.

No momento, não há como saber, objetiva e cientificamente, se um determinado *agente de cura energético* – seja ele alguém que diz fazer a leitura dos campos de energia, um agente de cura de chakras que sofreram perturbações ou alguém que diz saber ajustar meridianos chi não balanceados – está realmente fazendo algo ou simplesmente enganando a si mesmo e seus clientes, a não ser que saibamos como medir o campo energético envolvido. Enquanto o campo energético for considerado "espiritual", no sentido dualista, ele está fora do campo da ciência e não pode ser estudado cientificamente. Seus praticantes baseiam-se na crença e em suas experiências subjetivas, não em comprovação científica. Tais agentes de cura jamais farão parte da medicina ocidental baseada em provas, porque a base deles é a fé, não a evidência científica.

O fato de alguns clientes de agentes de cura que trabalham com campos de energia experimentarem benefícios subjetivos não me diz nada. Eu vi o que na época considerei serem poderosos efeitos de medicamentos, em estudos sobre drogas que eu conduzi no Canadá e que posteriormente se revelaram não passar de efeitos placebo. Durante o tempo em que observei uma redução dramática dos sintomas, supus que aquela pessoa devia ter recebido, por meio de uma designação aleatória, um medicamento ativo. Nem cheguei a considerar a possibilidade de que aquela pessoa pudesse estar sob o efeito placebo, uma vez que a redução dos sintomas era muito significativa. Mas posteriormente, quando o estudo estava concluído e o código das regras do duplo-cego foi quebrado – quando descobrimos os papéis que as pessoas estavam desempenhando – eu constatei o quanto o efeito placebo era poderoso. Por isso, nenhum efeito subjetivo ocasionado por terapias que trabalham com campos de energia me convence de que esteja ocorrendo algo que vá além do efeito placebo.

O efeito placebo não é pouco intenso, e muito menos negligenciável: é um efeito muito poderoso a respeito do qual sabemos muito pouco. Por exemplo, quando os estudos realizados mundialmente com as drogas antidepressivas são tomados em conjunto, verifica-se que cerca de 50% das pessoas respondem à medicação, enquanto 30% respondem a placebos (quando a resposta é definida como redução da depressão os resultados são de 50% ou mais). Essa é uma diferença estatisticamente significativa, mas é conceitual e clinicamente muito modesta. De fato, a superioridade da medicação antidepressiva deve-se inteiramente ao fato de ela combinar o efeito químico da droga com o efeito placebo; os placebos, por sua vez, oferecem apenas o efeito placebo.

Isso pode ser provado da seguinte maneira: se 50% das pessoas respondem à medicação, mas 30% respondem a placebos, então 30% das pessoas que respondem à medicação teriam respondido da mesma maneira se tivessem tomado placebos. Portanto, apenas 70% das pessoas que responderam à medicação precisavam realmente do efeito químico da droga para responderem: 70% de 50% são 35%. Os dados nos indicam que apenas 35% das pessoas às quais são ministrados aleatoriamente o medicamento antidepressivo ativo respondem de uma maneira que pode ser atribuída ao efeito químico da droga. Isso não é nem conceitualmente nem estatisticamente ou clinicamente diferente dos 30% que respondem apenas aos placebos.

O estudo científico dos campos de energia humanos não tem como começar enquanto estiver obstruído pela sociologia do dualismo. Cientistas sérios raramente entram no domínio "espiritual" por receio de serem condenados ao ostracismo, rebaixados, excluídos e de alguma maneira punidos por seus colegas. Os crentes raramente entram no "domínio" da ciência por considerarem que ela lida apenas com átomos mortos e não com as forças vitais que eles detectam e curam em suas terapias. O Oriente continua no Oriente e o Ocidente no Ocidente e os dois jamais se encontram.

No entanto, tão logo caímos no dualismo, estamos todos no mesmo barco. Porém, se o espírito é uma propriedade geral da matéria, então, em vez de serem consideradas supersticiosas da perspectiva científica, as crenças dos agentes de cura que trabalham com campos de energia são, todas elas, hipóteses científicas testáveis. Não há nenhuma necessidade de procurar "a força vital" em outra dimensão ou esfera — tudo o que temos de fazer é medir o campo eletromagnético do corpo humano.

Essa abordagem trará tanto uma boa como uma má notícia para os leitores dos campos de energia e para os agentes de cura que trabalham com esses campos. A boa notícia é que, no âmbito da nova ciência, já podemos provar a realidade objetiva dessas terapias, conforme descreverei em capítulos mais adiante. A má notícia é o outro resultado do cálculo de risco: em alguns, ou talvez em muitos casos, não conseguiremos demonstrar a ocorrência de algo. Mas os terapeutas que trabalham com os campos energéticos não precisam ficar excessivamente alarmados diante de tal resultado, porque é bem possível que os *scanners* não sejam suficientemente sensíveis para detectar os níveis sutis dos campos eletromagnéticos envolvidos em suas terapias. Neste caso, as mãos, os olhos ou o plexo solar dos agentes de cura são instrumentos mais precisos e sensíveis do que os instrumentos de engenharia elétrica usados na ciência dos campos de energia humanos.

Em uma ciência unificada, tanto as mãos humanas como os dispositivos de engenharia elétrica pertencem à categoria de instrumentos de detecção científica. No entanto, precisamos do equipamento de engenharia elétrica para provar que nossas leituras energéticas não são apenas ou meramente um fenômeno subjetivo.

A boa notícia para o cético é que sua competência passará a ser requerida e procurada por aqueles que até agora o marginalizaram, e isso lhe proporcionará novas oportunidades para obter subvenções, contratos industriais, publicações e promoções. A postura do cético como não crente terá de ser reconfigurada. Atualmente, muitos céticos não acreditam nos "campos de energia humanos" por uma questão política. Essa não é uma atitude científica.

O vocabulário do cético e do crente

O cético e o crente costumam usar um vocabulário diferente para descrever a mesma coisa. O crente pode se referir a um fenômeno como *espiritual* enquanto o cético o chama de *pseudociência*. O cético e o crente parecem estar em desacordo, mas na verdade ambos estão de acordo quanto à suposição subjacente do dualismo: quer ela exista ou não, a coisa em consideração está fora do âmbito da ciência. Parte do processo de mudança de paradigma consiste em criar um vocabulário para o espiritual que seja aceitável para o cético.

Por exemplo, eu poderia alegar que possuo um amuleto mágico que concentra uma energia mais poderosa do que todo o campo energético da Terra. Isso seria considerado impossível pela maioria dos cientistas. Eu posso, no entanto, provar que essa afirmação é cientificamente verdadeira. De que maneira? Eu posso usar um ímã para pegar um clipe metálico — o ímã vencerá um cabo de guerra contra o campo gravitacional da Terra.

Em um outro dia, eu poderia afirmar que tenho uma pedra mágica dotada de tanta energia sobrenatural que eu poderia usá-la para destruir uma cidade inteira. Eu poderia dizer que consigo fazer com que isso aconteça dirigindo energia divina invisível sobre a rocha. Isso não lhe parecerá nada científico, a não ser que você perceba que eu estou descrevendo uma bomba atômica.

A nova ciência poderia tornar corriqueiros os campos de energia humanos. Não há nada de particularmente transcendental ou místico com respeito a fazer um ECG. Mas ele pode ser muito útil e sua leitura mostra uma nítida correlação com o estado de saúde da pessoa. Certas anormalidades no chakra do coração – no ECG – podem ser corrigidas por medicamentos específicos. O agravamento do estado de deterioração do chakra do coração pode ser prevenido, ou mesmo revertido, por meio de uma dieta alimentar e da prática de exercícios físicos. Leituras do chakra do coração, como na forma do ECG, são ótimos prognósticos que podem indicar se a luz emanada por esse chakra irá se apagar mais cedo do que tarde.

Para quem não está familiarizado com o sistema dos chakras, que é estudado há milênios pelas filosofias do yoga, da medicina oriental e de outros campos relacionados, podemos dizer que há sete chakras ou centros de energia no corpo humano. O chakra da raiz encontra-se na região pélvica e o chakra da coroa, ou coronário, no topo da cabeça (ver mais detalhes no Capítulo 7). As doenças surgem de bloqueios no fluxo da energia vital, chamada *kundalini*, no kundalini-yoga, que podem ocorrer a partir do chakra da raiz e ao longo de toda a coluna vertebral. A energia kundalini atravessa os outros chakras até ser liberada através do chakra coronário no topo da cabeça. O tratamento envolve a restauração de um equilíbrio e de um fluxo de energia apropriados através dos chakras.

O caduceu de Mercúrio, o símbolo da medicina, é uma transmutação cultural do bastão de Brahma, que é o símbolo básico do kundalini-yoga. O bastão de Brahma é a coluna vertebral e a cobra enroscada ao seu redor é a serpente kundalini, que é a energia primordial que sobe do chakra da raiz, situado na base da pélvis, até o chakra da coroa no topo da cabeça. As raízes da moderna medicina estão em uma antiga medicina energética, que foi transmutada, disfarçada e esquecida e que, na verdade, é hoje proibida pela medicina reducionista. Um dos propósitos da ciência dos campos de energia humanos é reintegrar à medicina ocidental essa antiga forma de conhecimento.

Não seria maravilhoso poder tratar uma arritmia cardíaca com procedimentos como a meditação focalizada, a imposição de mãos pelo agente de cura sobre o tórax do paciente ou em uma sessão em que ele fica sentado, sob o efeito de um campo eletromagnético, em uma câmara especial? Essas são possibilidades que justificam uma investigação científica séria.

No momento, a ciência dos campos de energia humanos não pode avançar porque está obstruída pela filosofia, pela sociologia e pelo vocabulário do dualismo. É por isso que eu venho dedicando, como já disse, tempo, energia, espaço e matéria para refutar o dualismo. Vou agora passar a tratar da ciência propriamente dita.

PARTE II

Conhecimentos científicos básicos

Eu não sou físico e nem tenho Ph.D. em biologia ou fisiologia. O desenvolvimento da ciência dos campos de energia humanos requer habilidades que estão além do meu conhecimento prático e teórico. Nesta parte do livro, eu apresento noções básicas sobre os campos eletromagnéticos e a biologia necessária para entender a terceira parte do livro. Não é necessário nenhum conhecimento, por exemplo, de matemática superior.

É do conhecimento comum que alguns organismos biológicos — por exemplo, certas bactérias, arraias e tubarões — interagem com o campo magnético da Terra de uma maneira organizada e que faz parte de sua sobrevivência. A ciência dos campos de energia humanos é fundamentada sobre essa realidade científica conhecida e, a partir dela, estende-se para muitas diferentes áreas e aplicações.

Capítulo 4

CONHECIMENTOS BÁSICOS SOBRE CAMPOS ELETROMAGNÉTICOS

Com respeito a equações e cálculos, meus conhecimentos de física se resumem aos que adquiri no curso introdutório de graduação no colégio. Quanto à filosofia da ciência, acho que é justo dizer que meus conhecimentos estão no nível do pós-doutorado. A ciência dos campos de energia humanos pode ser estudada matematicamente no nível da mecânica quântica, tanto teoricamente como em suas aplicações no campo da engenharia elétrica. Meu papel nesse desenvolvimento é o de realizar os pensamentos verbalizados — mas não tenho como fazer isso no campo da matemática.

De acordo com a teoria da relatividade e a mecânica quântica, espaço, tempo, matéria e energia não são coisas separadas. Elas estão interligadas umas às outras e são aspectos de algum tipo de campo unificado. No entanto, ainda não surgiu uma teoria unificada que faça a interligação de tudo isso. Segundo Einstein, a geometria do espaço nas proximidades de um objeto grande como o Sol é diferente daquela que vigora nas regiões vazias entre as galáxias. Tampouco o tempo é constante: ele anda mais rápido ou mais devagar dependendo da velocidade. Da perspectiva de um fóton, o tempo está parado.

É certo que cada átomo do universo gera um campo eletromagnético. Mesmo o espaço vazio não é realmente vazio – é algum tipo de sopa de espaço, tempo e energia. O "espaço vazio" tem estrutura matemática e propriedades físicas. A moderna física do espaço é muito diferente da física do espaço newtoniana.

Experimentos realizados na escola elementar demonstram a realidade dos campos magnéticos invisíveis – eu lembro de como as limalhas de ferro se rearranjavam sobre uma placa de vidro quando se colocava um ímã sob ela. É absolutamente incrível que se possa erguer um pequeno objeto de ferro com um ímã que pese cerca de 28 gramas. O campo magnético do ímã vence um cabo de guerra contra o campo gravitacional da Terra. Isso demonstra a intensidade incrivelmente fraca da gravidade.

De maneira semelhante, a eletricidade é invisível e intangível, a não ser que você toque a mão em um fio elétrico ligado ou observe tempestade elétrica. Todos nós sabemos que um raio pode matar pessoas e partir árvores ao meio.

Eletricidade e magnetismo são dois lados da mesma moeda. *Exatamente* como eles estão mutuamente relacionados é um quebra-cabeça ainda insolúvel da física teórica, mas eu não precisei me preocupar com isso para conceber a ciência dos campos de energia humanos. O tempo todo eu me refiro ao campo eletromagnético (EM), embora às vezes o componente elétrico seja de interesse, e outras vezes, o componente magnético seja o alvo das aplicações no campo da engenharia.

Os eletroímãs demonstram que a eletricidade pode ser usada para magnetizar um pedaço de ferro. Inversamente, os ímãs podem ser usados para gerar uma corrente elétrica. De maneira que, para meus propósitos, basta eu usar o termo genérico campo eletromagnético, uma vez que a teoria e a engenharia elétrica estão fora do meu alcance.

Os campos eletromagnéticos podem atravessar a madeira, a carne humana e muitos outros materiais. No entanto, eles podem ser bloqueados por outros materiais, como o *mumetal*, uma liga criada com o propósito de combinar vários diferentes metais. Quando os físicos querem estudar partículas como os *neutrinos*, eles não medem esforços para isolar seus instrumentos, enterrando-os profundamente sob o solo. Comumente, no entanto, a borracha é usada para isolar fios elétricos. O grau de isolamento necessário para os dispositivos usados para lidar com os campos de energia humanos está dentro das possibilidades econômicas da média das pessoas, embora também haja instalações de pesquisa de alto custo.

Os campos magnéticos que interessam à nova ciência são extremamente sutis e fracos, como se pode ver na Tabela 4.1:

Tabela 4.1 As intensidades de diferentes campos magnéticos (em unidades tesla)

10^{-3}	Secador de cabelo
10^{-4}	Campo magnético principal da Terra
10^{-6}	Ruído urbano
10^{-10}	Coração humano
10^{-12}	Cérebro humano
10^{-14}	Resolução do magnetômetro SQUID

Os números significam que o campo magnético de um secador de cabelo é de 0,001 tesla, enquanto o campo magnético principal da Terra é de 0,0001 tesla. O campo do secador de cabelo é dez vezes mais forte do que o do campo magnético da Terra. O campo magnético causado pelo ruído eletromagnético urbano em geral é um milhão de vezes mais forte que o campo magnético do cérebro. Isso quer dizer que o ruído eletromagnético urbano poderia definitivamente ter um efeito sobre o espírito humano.

O magnetômetro SQUID é um dispositivo supercondutor de interferência quântica. Ele é capaz de medir campos magnéticos extremamente fracos, até cem vezes mais fracos do que o campo magnético do cérebro humano. Isso quer dizer que dispomos agora da tecnologia capaz de medir com precisão o campo eletromagnético de todo o corpo. No entanto, o magnetômetro SQUID tem que ser colocado em compartimentos eletromagneticamente isolados para que o campo magnético do cérebro não seja totalmente inundado pelo ruído eletromagnético de fundo.

Pode-se medir o campo elétrico do cérebro com um eletroencefalograma (EEG) e pode-se medir o campo magnético do cérebro com um magnetoencefalograma (MEG). Estudos sobre os MEGs só começaram a aparecer em publicações científicas nos últimos anos, porque só recentemente essa tecnologia se tornou acessível.

Os campos elétricos do corpo são mais intensos e mais fáceis de serem medidos do que os campos magnéticos. O ruído de fundo pode ser eliminado colocando-se eletrodos diretamente sobre a pele — no escalpo para se obter um EEG e no peito para se tirar um eletrocardiograma (ECG).

Essa é toda a física de que necessitamos para entender a ciência dos campos de energia humanos em um nível verbal e conceitual.

Capítulo 5

OS CAMPOS ELETROMAGNÉTICOS NA BIOLOGIA

Os campos eletromagnéticos exercem definitivamente efeitos sobre a biologia humana. Isso é demonstrado quando alguém é morto por um raio. A questão é: "Quão fraco um campo eletromagnético pode se tornar antes de deixar de ter efeito sobre a biologia?" A resposta a essa pergunta é debatida pelos biólogos. No entanto, como as plantas capturam fótons para produzir clorofila, é certo que sinais eletromagnéticos fracos podem afetar as funções biológicas. Os governos federais de países de todo o mundo estabeleceram padrões de segurança para os campos eletromagnéticos e é certo que campos eletromagnéticos relativamente fracos podem afetar a biologia, em um nível que não é capaz de ser registrado conscientemente como choque elétrico.

Os campos eletromagnéticos podem derrubar uma pessoa e fazer com que ela tenha um ataque repentino. Isso é demonstrado pela terapia eletroconvulsiva (TEC) usada pela psiquiatria. A quantidade de eletricidade descarregada no cérebro humano durante a terapia eletroconvulsiva viola os padrões de segurança estabelecidos pelos governos federais para a indústria. Se tal exposição ocorre no local de trabalho, ela é definida como *acidente* e os investigadores federais impõem sanções ao empregador responsável pelo acidente. Essa ocorrência pode resultar em uma ação judicial.

É certo, portanto, que os campos eletromagnéticos podem afetar o estado de consciência de uma pessoa. Existe alguma evidência do efeito dos campos eletromagnéticos naturais, como o campo magnético da Terra, sobre a biologia dos insetos e animais? Sim, existe.

Mas antes, as fontes naturais de campos magnéticos:

Tabela 5.1 Fontes naturais de campos magnéticos

Fontes naturais de campos magnéticos
Campo magnético principal da Terra (correntes da camada líquida externa ao núcleo)
Vento atmosférico (movimento de partículas carregadas)
Manchas solares, labaredas solares, tempestades geomagnéticas
Campo interplanetário
Vento solar — interação com a magnetosfera
Aurora boreal
Variação geológica local

Há numerosas fontes de campo magnético flutuantes e interagentes nas quais todos os organismos biológicos se banharam por um bilhão de anos. O campo global é complexo e seus subcomponentes podem ter efeitos mensuráveis – por exemplo, as explosões solares podem interromper temporariamente as telecomunicações. Se as explosões solares podem afetar os telefones celulares, por que não afetariam a biologia?

Assim como a Terra é circundada por uma atmosfera, ela também é circundada por uma magnetosfera, que interage com os ventos solares, entre outras coisas. De acordo com a ciência dos campos de energia humanos, nós evoluímos na magnetosfera da mesma maneira como evoluímos para respirar oxigênio e ingerir proteínas. Há interações entre a magnetosfera e os campos eletromagnéticos do nosso corpo que foram estruturadas ao longo dos milênios.

Em muitos sentidos, a evolução clássica não está mais operando sobre a raça humana. As pessoas que são mais altas, mais fortes, mais inteligentes, mais ricas, mais atraentes e mais atléticas não têm, em média, mais tantos filhos quanto seus competidores. Os atributos clássicos que favoreciam a sobrevivência e conferiam vantagem reprodutiva há dez mil anos em geral não se aplicam mais. Presume-se que o mesmo seja verdadeiro para as interações de campos eletromagnéticos: se um caçador primitivo era capaz de perceber a presença de caça ou de inimigos pela leitura subliminal do campo eletromagnético, ele viveria por mais tempo, atrairia mais mulheres e teria uma prole maior. Os genes para essas habilidades seriam selecionados ao longo das gerações.

No mundo moderno, porém, essas habilidades não conferem vantagens para a sobrevivência, pois obtemos nossos alimentos nos supermercados. Contudo, o corpo continua necessitando de proteínas para sobreviver e manter-se saudável. A mesma lógica se aplica aos campos de energia humanos: para manter-se saudável, o campo eletromagnético do corpo humano precisa tanto estar bem enraizado como em interação com o campo magnético da Terra.

Para afetar os telefones celulares, uma explosão solar não interage com grandes moléculas biológicas. A interação da explosão solar com os chips dos telefones celulares ocorre no nível quantomecânico, no interior de átomos individuais e entre eles, como ocorre com todas as interações eletromagnéticas. Igualmente, as ligações entre os átomos que formam a base da química são sempre de natureza quantomecânica. A interação entre o campo magnético principal da Terra e o campo eletromagnético humano também precisa ocorrer no nível quantomecânico.

Para que haja uma interação biologicamente significativa entre o campo magnético da Terra e a vida humana, tem de haver um mecanismo remoto de efeito gradual. O efeito do campo da Terra sobre o campo eletromagnético humano tem de ocorrer inicialmente no nível quantomecânico. Isso causa necessariamente alterações no campo eletromagnético do corpo que, por sua vez, mudam o ambiente eletromagnético de átomos e moléculas individuais. Isso, por sua vez, provocará necessariamente alterações na ionização, na polarização das membranas e na ligação entre átomos que são, em seguida, traduzidas em sinais biológicos significativos, como liberação de hormônios, de neurotransmissores, de mensageiros secundários no interior das células, e assim por diante. Provavelmente, os genes podem ser ligados e desligados por campos eletromagnéticos externos. A execução de todos esses passos exigirá incontáveis experimentos e horas de pesquisa, muito além da capacidade individual de qualquer pessoa ou laboratório.

O problema que existe na biologia, na medicina e na psiquiatria contemporâneas é o fato de todas elas serem biológicas e químicas em suas teorias e nível de análise. Os cientistas falam sobre "a química da vida" exatamente como Crick se referiu ao DNA como "o segredo da vida". A química, no entanto, é reduzida à física e essa é reduzida à mecânica quântica.

As limitações dos modelos biológico-químicos ficam evidentes na psiquiatria biológica. Nela, diz-se que as drogas psiquiátricas interagem com seus receptores no cérebro por meio de um mecanismo de fechadura-e-chave (a mesma lógica é usada na imunologia para explicar as funções dos anticorpos). Os diagramas relativos às interações entre drogas, receptores e neurotransmissores mostram a droga ajustada ao receptor com base nas formas físicas do receptor e da droga. Um antidepressivo do tipo inibidor seletivo de recaptação de serotonina

(ISRS), por exemplo, bloqueia os receptores de serotonina porque se ajusta a eles, mas não aos receptores de noradrenalina ou de dopamina.

Esse modelo é intuitivamente agradável e fácil de ser ensinado, mas é cientificamente impossível porque as estruturas físicas dos diferentes medicamentos ISRS são extremamente diferentes umas das outras. Elas não podem ser as chaves físicas específicas para a fechadura de serotonina. Em geral, eu diria que a forma física (a *conformação*) de uma molécula sinalizante tem pouco a ver com sua interação com um receptor-alvo. É mais provável, eu acho, que a interação do receptor com o ISRS seja eletromagneticamente específica – isso poderia ser comprovado mostrando-se que as assinaturas eletromagnéticas de todos os medicamentos ISRS são semelhantes, embora suas formas físicas variem muito.

Uma vez que um modelo quantomecânico de biologia esteja no lugar certo, não há nada de misterioso ou de surpreendente no fato de os campos eletromagnéticos desempenharem um papel decisivo na biologia e na fisiologia. A biologia e a química se reduzem a interações eletromagnéticas entre as nuvens eletrônicas nos átomos. Por exemplo, eu aprendi na faculdade de medicina que a captação do oxigênio pela hemoglobina depende da operação de uma lei da mecânica quântica (chamada de Princípio da Exclusão de Pauli) na camada dos elétrons mais externos dos átomos de ferro presentes na hemoglobina.

Os biólogos que afirmam que campos eletromagnéticos fracos não têm efeitos biológicos estão equivocados: toda a biologia funciona por meio de interações eletromagnéticas fracas entre os átomos. A interação de campos eletromagnéticos fracos com a biologia é ilustrada pelo fato de as plantas captarem fótons para sintetizarem a clorofila.

Conforme mostra a Tabela 5.2, já sabemos que vários sistemas biológicos usam a navegação geomagnética. A interação biologicamente significativa de pássaros, peixes e bactérias com o campo magnético da Terra é fato comprovado. Assim como também se demonstrou que a dança das abelhas melíferas, a migração de pássaros e a navegação do pombo-correio, assim como de tubarões, arraias e certas bactérias fazem uso do campo magnético da Terra.

Tabela 5.2 Sistemas biológicos que usam a navegação geomagnética

A dança das abelhas melíferas
Pássaros migratórios
Pombos-correios
Tubarões, arraias
Certas bactérias

De acordo com a Tabela 5.2, é provável que ocorra uma enorme gama de interações entre os campos magnéticos naturais e o campo eletromagnético do corpo. Muitas delas provavelmente conseguem afetar o nível biológico. Por exemplo, um vazio espiritual em moradores de centros industriais urbanos resultante de desconexão com o campo magnético principal da Terra poderia não ter nenhum componente biológico.

Para que a ciência dos campos de energia humanos possa ser considerada oficialmente ciência, os modelos do tipo fechadura-e-chave entre neurotransmissores, hormônios, mensageiros secundários no interior das células, interações entre antígenos e anticorpos e toda a gama de sinais biológicos e sistemas de comunicação têm que dar lugar aos modelos de assinaturas eletromagnéticas. Pode haver exemplos de ambos os tipos de interação na natureza e os modelos não precisam ser mutuamente exclusivos, mas as assinaturas eletromagnéticas precisam desempenhar um papel significativo em muitos processos biológicos, inclusive no transporte de moléculas e átomos pelos canais das membranas celulares.

Começam a surgir evidências de que os controles de muitos processos biológicos ocorrem no nível eletromagnético. No que diz respeito a livros acessíveis, *The Body Electric: Electromagnetism and the Foundation of Life* de Robert Becker e Gary Selden é a melhor fonte de informações. Becker publicou muitos experimentos demonstrando que a cura óssea é controlada eletromagneticamente e sua pesquisa resultou na aplicação de campos eletromagnéticos externos por cirurgiões ortopédicos a casos de fraturas que se mostram refratárias à cura, a fim de acionar os mecanismos curativos bloqueados.

Quando um modelo eletromagnético de biologia for aceito pela ciência dominante, será ainda necessário o estudo no nível biológico, como também no psicológico. É impossível estudar a função e o propósito das moléculas e interações biológicas puramente no nível da mecânica quântica. A mecânica quântica não pode explicar sozinha por que é importante poder flexionar as pernas ou por que é importante ter olhos. O círculo do reducionismo determina a lógica do sistema e todas as localizações no círculo fazem parte do quadro total.

Por exemplo, não há nenhuma razão particular para ser intrinsecamente desejável ter os receptores pré-sinápticos de serotonina ocupados por um antidepressivo do tipo inibidor seletivo de recaptação de serotonina (ver explicações sobre os antidepressivos e receptores ISRS no Capítulo 8). Receptores pré-sinápticos desocupados não significam doença ou anormalidade. Simplesmente ocorre que a inserção de um ISRS no receptor dispara uma complexa cadeia de reações no neurônio pós-sináptico, que de alguma maneira melhora o humor de algumas pessoas, mas não o de todas as que se encontram clinicamente deprimidas. O Food and Drug Administration (FDA) — órgão do governo americano que faz o controle de alimentos e drogas — não conseguiu decidir pela aprovação da comercialização de remédios ISRS com base apenas em estudos da mecânica quântica de sua interação com os receptores. Outros níveis de informação são necessários para se tomar decisões baseadas em provas.

A ciência dos campos de energia humanos requer uma abordagem unificada do campo mente-corpo. As contribuições da psicologia, da antropologia, da biologia e da física são igualmente importantes e nenhum desses campos é mais fundamental do que os outros. Para que a ciência dos campos de energia humanos possa fazer parte da ciência dominante, tem de ser verdade que os campos eletromagnéticos fracos exercem efeitos significativos sobre o corpo e o espírito humanos.

PARTE III

A ciência dos campos de energia humanos

Esta parte do livro descreve em detalhes a ciência dos campos de energia humanos. Cito exemplos de experimentos, estudos, instrumentos e aplicações em um amplo espectro de campos, desde a medicina geral, a psiquiatria, a antropologia, a agricultura, os sistemas de segurança e de armamentos até as terapias energéticas. Essa ciência unifica a medicina oriental com a ocidental e possibilita o estudo da *força vital*, do *chi* e da *aura humana* — em minha visão, diferentes palavras para designar a mesma coisa — no âmbito da ciência ocidental.

Capítulo 6

O RAIO EMITIDO PELO OLHO HUMANO: UM EXPERIMENTO CRUCIAL NO CAMPO DA NOVA CIÊNCIA

Caro leitor, ou melhor, cara leitora, lembre-se do brilho e da alegria que os olhos do seu filho emitem sobre você quando você lhe dá um novo brinquedo e, em seguida, permita que o físico lhe diga que, na realidade, nada emerge daqueles olhos; que, na realidade, a única função objetivamente detectável neles é a de ser continuamente atingido por quanta de luz, a de recebê-los continuamente. Na realidade! Uma estranha realidade! Parece que falta algo nela.

Erwin Schrödinger
What is Life? (1944)

Se preferirmos, podemos pensar sobre o fenômeno da visão como os gregos o faziam, considerando o olho não como uma espécie de placa sensível, mas como uma fonte de antenas ou tentáculos que se estendem para fora e apreendem as propriedades do objeto que ele reconhece.

Dizer que a "luz viaja" é uma afirmação que reflete a natureza da realidade de uma maneira que a afirmação "seus olhos varreram o horizonte" não consegue é, na verdade, apontar para o fato de que essa última afirmação constitui, na melhor das hipóteses, uma simples metáfora. A teoria óptica que deu origem a ela está morta. Perguntas como estas: "Com que tipo de vassoura os olhos varrem?"

e "Do que são feitas as suas antenas?" podem ser indagadas apenas de maneira frívola. A primeira afirmação é mais abrangente: ela pode tanto ocorrer no cerne de uma teoria frutífera como sugerir-nos novas perguntas, a muitas das quais podem ser atribuídos sentidos de uma maneira que as perguntas sugeridas por "Seus olhos varreram o horizonte" jamais conseguem.

Stephen Toulmin
The Philosophy of Science (1953)

Poderia uma antiga teoria errônea sobre a percepção visual continuar sendo uma crença comumente sustentada por crianças e adultos no fim do século XX? Vários filósofos antigos, entre os quais Platão, Euclides e Ptolomeu, acreditavam naquilo que passou a ser chamado de teoria da extromissão da percepção visual. Essa teoria enfatizava que ocorriam emanações dos olhos durante o ato de ver. Isto é, considerava-se que essências ou coisas semelhantes deixavam os olhos durante o ato da percepção visual. Com os avanços nas ciências da óptica e da fisiologia, a teoria da extromissão foi substituída por outra, chamada de teoria da intromissão. Esta teoria sustenta que há somente entrada no sistema visual e que essa informação é suficiente para que a pessoa veja. A teoria da extromissão foi colocada de lado nos círculos científicos e filosóficos do início do século 17, embora a opinião informada tenha geralmente rejeitado as ideias de extromissão já no século 13.

Gerald Winer
American Psychologist (1996)

A equação de onda de Schrödinger é usada em toda a mecânica quântica e seu criador é, juntamente com Planck, Bohr, Heisenberg, Pauli, Einstein e outros, uma das grandes figuras desse campo. Einstein recebeu o Prêmio Nobel por seu trabalho sobre a natureza corpuscular da luz e o efeito fotoelétrico, e não por sua teoria da relatividade. Nas citações acima, Schrödinger, Toulmin e Winer são unânimes em afirmar a mesma visão da ciência moderna com respeito ao raio emitido pelo olho humano: ele não existe. No entanto, diferentemente da maioria dos outros cientistas, Schrödinger mostra-se disposto a considerar que pode estar faltando algo no moderno modelo científico do universo.

Em psicologia, o termo técnico para designar o raio emitido pelo olho é *extromissão*. Com extromissão se supõe que algo sai pelo olho e interage com o mundo exterior. Com *intromissão*, por sua vez, se supõe que a luz entra no olho e é detectada pela retina. A *extromissão* é um processo ativo, enquanto a intromissão é passiva (colocando de lado o processo ativo de escolher para onde olhar). A percepção visual humana, de acordo com a ciência moderna, foi inteiramente descrita pelo filósofo inglês do século 17, John Locke. Segundo o modelo de percepção de Locke, o olho recebe passivamente a luz e os processos envolvidos são mecânicos e fisiológicos. A partir de Locke, a ciência da percepção visual humana tem se ocupado em acrescentar detalhes, mas o modelo básico permanece o mesmo.

Em seu *An Essay Concerning Human Understanding* [*Ensaio sobre o Entendimento Humano*], publicado em 1690, Locke disse que a percepção visual é um processo passivo: "Na *percepção* pura e simples, a mente é, pela maior parte, apenas passiva; e o que ela percebe, não pode deixar de perceber." O componente ativo da percepção visual, de acordo com Locke, é a reação da mente à "pura percepção" — a qual envolve a interação de ideias com a percepção sensorial. Locke também descreveu a recepção de fótons pela retina e afirmou, em um vocabulário antiquado, que as propriedades físicas dos fótons (seu número e frequência em termos modernos) determinam a intensidade e cor percebidas pela mente (pp. 300-01):

Pois supondo que a sensação ou ideia à qual damos o nome de brancura seja produzida em nós por certo número de glóbulos que, tendo verticidade em seus próprios centros, incidem sobre a retina do olho com certo grau de rotação, como também de rapidez progressiva; fica então fácil concluir que as partes mais superficiais de qualquer corpo estão ordenadas de maneira a refletir o número maior de glóbulos de luz e dar a eles aquela rotação que é apropriada para produzir a sensação de brancura em nós; e mais branco parecerá aquele corpo que, de um espaço igual, enviar à retina um número maior de tais corpúsculos com aquela espécie peculiar de movimento. Eu não estou dizendo que a natureza da luz consiste em glóbulos redondos muito pequenos, nem que a brancura consiste em uma tal estrutura de partes de maneira a dar certa rotação a esses glóbulos quando os reflete, pois não estou agora tratando da luz ou das cores fisicamente; mas acho que posso dizer isto: que eu não posso (e me alegraria se alguém deixasse claro que pode) conceber como os corpos sem nós podem de alguma maneira afetar nossos sentidos, senão pelo contato imediato dos próprios corpos sensíveis, como o paladar e o tato, ou o impulso de certas partículas sensíveis vindas deles, como ocorre com a visão, a audição e o olfato; pelos diferentes impulsos de cada parte, causados por seus diferentes tamanhos, figuras e movimentos, a variedade de sensações é produzida em nós.

Sejam eles então glóbulos ou não, ou tenham eles verticidade em seus próprios centros que produzem em nós a ideia da brancura, isto é certo: que quanto mais partículas de luz forem refletidas de um corpo, próprias para dar-lhes aquele movimento peculiar que produz a sensação de brancura em nós, e possivelmente também quanto mais rápido for aquele movimento peculiar, mais branco parecerá o corpo do qual é refletido o maior número de partículas; como evidencia a mesma folha de papel exposta aos raios solares, na sombra e num buraco escuro, em cada um deles ela produzirá em nós a ideia de brancura em graus muito diferentes.

O psicólogo Gerald Winer publicou uma série de artigos nos quais descreve os resultados de levantamentos dos quais incumbiu a estudantes universitários. Ele se mostra muito preocupado com o fato de muitos estudantes acreditarem na realidade da extromissão. Winer vê nisso uma falha da educação científica e clama por um maior empenho para que os fundamentos básicos de ciência sejam ensinados aos estudantes. Winer, assim como praticamente todos os cientistas modernos, está absolutamente convencido de que o raio emitido pelo olho humano não existe. De acordo com a ciência ocidental contemporânea, o raio emitido pelo olho humano é um fenômeno "paranormal" e, como tal, está fora do domínio da ciência e não pode, portanto, ser estudado por meio do método científico.

O raio emitido pelo olho humano é o fundamento da crença no mau-olhado. De acordo com o folclore italiano e de outros países, uma pessoa pode projetar energia maligna sobre outra por meio do mau-olhado, fitando-a com má intenção. Praticamente todos os antropólogos, etnógrafos e folcloristas concordam com Gerald Winer de que essa crença não passa de superstição. Ela tem de estar situada dentro do modelo da percepção visual humana de Locke, que não aceita a extromissão.

Um problema com a doutrina da extromissão de Locke é o sentimento comum e universal de estar sendo observado. Quem já não passou pela experiência de, ao virar-se subitamente, topar com alguém encarando-o fixamente? Ou de, ao olhar para alguém, fazê-lo olhar diretamente para si? Todo mundo sabe que isso não é mera coincidência, percepção periférica de pistas subliminais ou qualquer que seja o nome dessa experiência real, mas como a ciência moderna afirma não existir raio emitido pelo olho humano, sentir o olhar de outro é, portanto, impossível. O modelo de Locke obriga os cientistas a negarem a realidade de uma experiência humana comum.

A ciência moderna rejeita e nega duas proposições interligadas:

1. A extromissão é real.
2. A extromissão está envolvida na percepção visual.

É possível, em princípio, que o raio emitido pelo olho humano exista, mas é irrelevante para a percepção visual. Ele poderia existir, mas, simplesmente, ser um ruído acidental, sem qualquer função fisiológica. Ou o raio emitido pelo olho poderia estar envolvido na percepção associada ao ato de mirar um alvo ou focalizar, sem que nenhuma informação seja retrotransmitida à pessoa que a emite. Finalmente, o raio emitido pelo olho poderia ser real e captar informações significativas, que seriam retrotransmitidas de volta para o seu emissor. Elas seriam como o sonar usado pelos morcegos, só que seriam uma radiação eletromagnética. Como os morcegos usam o som para se orientarem, é perfeitamente possível que outras espécies usem o raio emitido pelo olho para diferentes propósitos. No âmbito da ciência dos campos de energia humanos, tudo isso pode ser investigado experimentalmente.

Com base nas duas proposições acima sobre a extromissão, as pesquisas sobre o raio emitido pelo olho humano serão realizadas em dois estágios: 1) demonstrando sua existência e suas propriedades eletrofisiológicas; e 2) investigando sua função como um sistema de sinalização e de coleta de informações.

Um exemplo de uma possível função biológica de sensibilidade aos raios emitidos pelo olho, nos seres humanos e em outros animais, é a interação que ocorre entre o caçador e a presa. Se uma gazela é capaz de perceber o raio emitido pelo olho de um leão e realizar um ato de evasão, certamente essa capacidade seria selecionada pela seleção natural durante o processo de evolução. O raio emitido pelo olho do leão poderia ser percebido conscientemente ou subliminalmente. Reciprocamente, um caçador (ou francoatirador) que notasse que um olhar demasiadamente intenso em um alvo alertaria ou assustaria a presa, aprenderia a não fixar o olhar no alvo com demasiada intensidade ou por tempo demasiadamente longo. Essa habilidade seria selecionada pela seleção natural durante o processo evolutivo da espécie predadora.

O raio emitido pelo olho humano foi relegado ao domínio do "espiritual" – significando superstição, pensamento mágico, fenômenos sobrenaturais ou paranormais. A ciência dos campos de energia humanos propõe uma hipótese concorrente: o raio emitido pelo olho humano é objetivamente real e mensurável. Por que eu faço essa previsão e por que a detecção do raio emitido pelo olho humano é um experimento de importância crucial para a nova ciência? Com o propósito de chegar a esse experimento crucial, eu segui a sequência de procedimentos apresentados no fim do Capítulo 2 (Tabela 2.1).

Experiência pessoal direta e consciente do raio emitido pelo olho

Eu tive muitas vezes a experiência envolvendo a percepção do raio emitido pelo olho humano e a mais intensa ocorreu na Itália. Eu me lembro, por exemplo, de que durante uma viagem de ônibus por Roma, eu vi uma deslumbrante mulher italiana andando por uma calçada apinhada de gente. Olhei-a fixamente. Ela continuou caminhando por alguns metros enquanto eu mantive o olhar fixo nela e então ela se virou e, sem hesitação, olhou diretamente nos meus olhos. Nós trocamos um sinal de reconhecimento mútuo, ela se virou e o ônibus a ultrapassou.

Em outra ocasião, me lembro de estar em um ônibus na Itália e sentir que alguém estava olhando fixamente para o meu rosto. Pude detectar o raio emitido pelo olho dessa pessoa incidindo em uma área circular de 3 centímetros de diâmetro aproximadamente em uma área específica do meu rosto. Eu me virei e vi que outra passageira, a julgar pela direção do seu olhar, estava olhando diretamente para essa área.

E ainda em uma outra ocasião, eu estava sozinho caçando no bosque do Whiteshell Provincial Park de Manitoba, Canadá, em setembro de 1971, quando de repente percebi que um coelho, às minhas costas, estava me olhando fixamente. Pensei, no momento, que, de fato, um coelho estava me encarando, virei-me e atirei nele com minha espingarda calibre 16 e depois o comi no jantar. Concluí que minha maior sensibilidade ao raio emitido pelo olho deveu-se ao fato de eu estar fora do ruído eletromagnético do ambiente urbano.

A não consideração dessa experiência como inválida

Em vez de dizer a mim mesmo que isso fora uma coincidência, ilusão auto-hipnótica, sugestão auditiva subliminal ou algum outro fenômeno semelhante, eu escolhi considerar minha experiência dos raios emitidos pelo olho como real e válida. Esse foi o segundo passo decisivo no desenvolvimento da nova ciência. Na década de 1970, escrevi detalhadamente sobre o que chamei de *física espiritual* ou *conhecimento do poder espiritual*. A maior parte desse material escrito, inclusive um ensaio sobre o raio emitido pelo olho humano, que escrevi enquanto me preparava para estudar medicina na Universidade de Alberta

– onde recebi meu diploma de medicina em 1981 – não foi publicada na época. Reuni esses textos em meus livros, *Diary of An Intern and Other Short Stories, Northern Canada* e *Literary and Anthropological Studies.*

A consideração da experiência como cientificamente verificável

No início de 1976, enquanto eu me preparava para estudar medicina, eu realizei meu primeiro experimento com o propósito de detectar o raio emitido pelo olho humano. Tomei emprestado um fotomultiplicador do meu professor de física, que era professor de Engenharia Biomédica, e tentei ativá-lo olhando para o seu interior em um quarto escuro em que havia apenas uma fraca luz vermelha, como as que se usa em laboratórios de revelação de fotos. Tudo o que eu obtive foram ruídos de fundo e desisti. Na época, eu não tinha ideia de que espécie de energia poderia constituir o raio emitido pelo olho humano e, portanto, supus que ela poderia ser composta de fótons do espectro visível.

O estudo cuidadoso do problema por meio de leitura e reflexão

Durante os anos em que cursei a faculdade de medicina, de 1977 a 1981, e depois de 1981 a 1985, em que me especializei em psiquiatria, continuei lendo intermitentemente sobre antropologia, filosofia da ciência e outras áreas que tinham algo a ver com raios emitidos pelos olhos humanos, mas nunca tive tempo ou energia para me concentrar no problema. Comecei a formular a ciência dos campos de energia humanos de maneira mais concreta nos primeiros anos do século XXI e, em 2004, publiquei dois livros descrevendo os fundamentos experimentais da nova ciência – *Songs For Two Children* e *Spirit Power Drawings*. Além de organizar meus escritos inéditos para publicação, comecei a fazer palestras sobre a nova ciência em conferências sobre saúde mental, além de mencioná-la sumariamente em outros *workshops* que se concentraram em meu Modelo para os Traumas.

Em 2006, eu já havia apresentado a nova ciência em detalhes para vários amigos e colegas e havia começado a escrever este livro. Li os livros relacionados na Bibliografia no período entre 2004 e 2008.

A refutação do dualismo cartesiano A proposta de que o espírito é uma propriedade geral da matéria

Empreendi esses dois passos ao escrever o Capítulo 1 deste livro.

Planejamento dos experimentos, instrumentos e previsões da ciência

Cheguei à invenção do *Human Eyebeam Detection System* (Sistema de Detecção do Raio Emitido pelo Olho Humano), pelo qual recebi a patente em 2009, graças a uma série de passos suplementares. Continuei refletindo sobre o tipo de energia de que o raio emitido pelo olho humano poderia ser constituído, e reduzi as possibilidades à energia eletromagnética. Aprendi na faculdade de medicina que o cérebro humano gera um campo eletromagnético que medimos sob a forma de um EEG. Quando ocorre no cérebro uma tempestade elétrica súbita, severa e caótica, esse fenômeno é prontamente detectável em um EEG como um ataque repentino e generalizado.

Para fazer um eletroencefalograma, colocam-se eletrodos sobre o couro cabeludo, firmando-os com o uso de uma pasta condutora apropriada para garantir uma boa condutibilidade elétrica. A leitura do EEG mostra que o campo é transmitido através do crânio. Eu então pensei comigo que o campo obviamente não terminava na superfície da pele — ele se estendia pelo espaço. Descobri, por meio de minhas leituras e pesquisas na internet, que os engenheiros elétricos conseguem detectar o EEG de uma pessoa a aproximadamente um metro de distância, usando eletrodos sensíveis e um compartimento eletromagneticamente isolado. Esse isolamento é necessário para eliminar o ruído de fundo que, do contrário, inundaria o sinal do EEG.

Lamentavelmente, ao falar com um fornecedor, fiquei sabendo que o custo para montar um desses compartimentos eletromagneticamente isolados era de 250 mil dólares. Eu continuei com minhas reflexões. Concluí que o raio emitido pelo olho humano precisava ser mais intenso do que o campo eletromagnético (EM) geral do cérebro, porque ele não tinha que atravessar o crânio. Tinha de haver algum grau de atenuação do sinal, por causa das meninges, do crânio, e dos músculos e da pele do couro cabeludo. Também achei que deveria haver algum tipo de focalização do campo eletromagnético do cérebro através dos olhos simplesmente por causa da geometria interna do crânio. Porém, ainda mais importante, eu achei que deveria haver uma amplitude maior para o raio emitido pelo olho por causa da focalização consciente combinada com a transmissão inversa de sinal ao longo do nervo óptico e saindo pelo globo ocular.

Eu disse então a mim mesmo que seria possível colocar um eletrodo de EEG dentro de um compartimento eletromagneticamente isolado, para que o software a ele conectado não fosse ativado pelo campo eletromagnético geral que atravessa o crânio e sai para o compartimento, mas apenas pelo sinal de amplitude maior do raio emitido pelo olho. Isso resultaria no fato de que o eletrodo ativaria o software apenas quando alguém olhasse diretamente para ele. O que eu tinha, então, era um comutador de liga-desliga e que era ativado quando se olhava para ele a partir de uma certa distância. Em princípio, esse dispositivo de liga-desliga podia ser conectado a qualquer outro dispositivo no planeta, desde controles para abrir a porta de uma garagem até despertadores, sistemas de segurança, armamentos, computadores pessoais, brinquedos e cafeteiras elétricas.

O único obstáculo era o custo de 250 mil dólares do compartimento eletromagneticamente isolado para usar o dispositivo. Eu resolvi esse problema, pelo menos para uma série de aplicações, quando entendi que a pessoa não precisava estar dentro do compartimento. O "compartimento" podia ser do tamanho de um par de binóculos e a pessoa podia olhar para dentro dele através de aberturas situadas em uma extremidade, com os eletrodos situados dentro do compartimento e na extremidade oposta, conectados a um computador. O computador poderia ser miniaturizado e as informações digitais poderiam ser baixadas por meio de um fio metálico, por um pente de memória ou por uma conexão sem fio a um computador maior ou uma rede de computadores.

Eu tinha agora o equivalente a uma Caixa Caça-Fantasma, mas que seria uma Caixa Caça-Raio Emitido pelo Olho. Percebi que poderia desafiar o prestidigitador e cético do paranormal, James Randi, que oferece o prêmio de um milhão de dólares a quem conseguir demonstrar objetivamente algum fenômeno paranormal. Percebi também que o raio emitido pelo olho humano preenchia seus critérios de fenômeno paranormal por estar fora da ciência e desafiar as leis da ciência conhecida. Randi especifica em sua página, em inglês, na internet (www.

randi.org) que um desafio bem-sucedido não depende da demonstração do mecanismo do fenômeno, mas apenas do próprio fenômeno. O raio emitido pelo olho humano preenche os requisitos por não ser aceito pela moderna ciência e ser considerado paranormal.

Eu também pensei nas possíveis aplicações comerciais de um *Human Eyebeam Detection System*. Se conseguíssemos colocar os eletrodos em uma caixa eletromagneticamente blindada que tivesse abertura em uma extremidade, e se os eletrodos fossem suficientemente protegidos e sensíveis, então o sistema poderia ser usado em um ambiente urbano. Se os problemas de engenharia elétrica pudessem ser superados, seriam incontáveis as aplicações possíveis. Um tetraplégico ou um bebê poderia acender uma luz ou um dispositivo de alarme simplesmente olhando para um sensor ao despertar, dispensando totalmente a necessidade de um compartimento eletromagneticamente isolado.

Em um hospital, seria possível a realização de um primeiro EEG por qualquer enfermeiro por meio de um par de binóculos usado pelo paciente, ou como exame de rotina ou após um ataque. Esse procedimento seria muito mais barato do que enviar a pessoa para um laboratório de EEG, especialmente fora do horário normal. O equipamento seria particularmente útil para se distinguir ataques epiléticos reais de pseudoataques — essa distinção é normalmente difícil ou impossível de ser feita pela observação. Essa é uma aplicação na qual eu, como psiquiatra, estou particularmente interessado, uma vez que os pseudoataques não são raros em pessoas que sofreram abuso sexual na infância.

Talvez o *Human Eyebeam Detection System* possa vir a ser incluído nos óculos de realidade virtual e usado para prover sinais de *biofeedback* ou informações sobre estados de excitação, digamos, em pessoas que têm medo de altura, por exemplo, quando sobem por um elevador virtual de vidro. Se um mecanismo prático de liga-desliga se tornar factível, acho que o potencial de suas aplicações será infinito. O sistema poderá oferecer um nível maior de segurança no alto de abóbadas, em espaços fechados ou outros locais.

O desafio de comprovar evidências do paranormal imposto pela James Randi Educational Foundation

Candidatar-me para responder ao desafio imposto pela James Randi Educational Foundation (www.randi.org) para comprovar a veracidade do fenômeno paranormal exigiu que eu fizesse antes algumas experimentações e improvisações. Em dezembro de 2007, fiz um curso de cinco dias em *neurofeedback* que me ensinou conhecimentos básicos sobre como aplicar eletrodos no couro cabeludo e usar o *hardware* e o *software* que eu havia comprado de um fabricante. O equipamento que eu usei era um *Brain Master Atlantis II* (www.brainmaster.com), que eu adquiri por menos de 2 mil dólares, e o diretor do curso era John Demos (2005), um clínico experiente em *neurofeedback*. Eu também passei a participar da International Society for Neurofeedback Research (www.isnr.org).

Concluído o curso, eu sabia que as ondas cerebrais humanas estão divididas em várias categorias, de acordo com sua frequência em hertz, ou ciclos por segundo (tive noções superficiais sobre isso na faculdade de medicina e em minha residência em psiquiatria, mas nunca havia estudado o assunto em profundidade). Para propósitos de obter informações sobre neurofeedback, a faixa beta costuma ser subdividida em beta propriamente dita e RSM (ritmo sensório-motor), conforme exposto a seguir, mas o software Brain Master subdivide-a em Lobeta [*low beta*], Beta e Hibeta [*high beta*]:

	Hertz
Delta	1-4
Teta	4-8
Alfa	8-12
RSM*	12-15
Beta	13-21
High Beta	20-32
Gama	38-42

*RSM = ritmo sensório-motor

Aprendi a respeito da distribuição das diferentes frequências sobre o couro cabeludo, onde colocar os eletrodos, como também as descobertas sobre depressão, ansiedade, distúrbio do déficit de atenção e outras doenças psiquiátricas. Para certas doenças, a amplitude em microvolts (μV) de certa faixa de frequências pode ser demasiadamente alta em determinada área do couro cabeludo, enquanto em outras ela pode ser baixa demais. Por exemplo, em uma pessoa com depressão, é comum existir (mas não sempre) excesso de alfa no hemisfério esquerdo, enquanto numa pessoa com ansiedade, pode haver excesso de beta no hemisfério direito frontal. Nenhum desses padrões ocorre em todos os casos e nenhum deles é específico para qualquer doença, mas quando o padrão clássico está presente, o treinamento em neurofeedback nessa faixa de frequências específica sobre essa área específica do crânio pode resultar em melhora dramática da ansiedade ou da depressão.

Como, no entanto, o raio emitido pelo olho humano não existe para a ciência ocidental, nem o curso nem o manual fazia qualquer referência a ele. Eu tive, por isso, de criar o *Human Eyebeam Detection System* por tentativa e erro. Depois de alguns esforços iniciais, decidi usar um par de óculos de mergulho adquirido em uma loja de artigos esportivos como meu "compartimento" eletromagneticamente isolado. Ajustei um eletrodo no interior da máscara na frente da minha pupila direita, cujo fio eu passei por baixo da máscara para ligá-lo ao conector, o qual, por sua vez, enviava o sinal para a unidade do Atlantis II, que o processava e o enviava para o meu laptop. Para obter o isolamento eletromagnético, usei camadas de folhas de estanho que comprei em uma mercearia, e uma rede de fios que comprei em uma loja de artigos de *hobby* e produtos artesanais, prendendo-os à frente da parte direita dos óculos de mergulho.

Passei horas mexendo com o equipamento e fazendo testes de EEG do meu próprio raio emitido pelo olho até conseguir ajustá-lo de forma satisfatória. Eu sabia pelo que havia aprendido no curso de neurofeedback que o "bloqueio alfa" é bem reconhecido e aceito no campo do EEG. Se você mede a faixa alfa com os olhos da pessoa abertos, você obterá uma determinada amplitude, medida em microvolts (μV). No entanto, se você repetir o procedimento com os olhos da pessoa fechados, a amplitude das ondas alfa aumenta de forma notável. Em outras palavras, os olhos abertos bloqueiam as ondas alfa.

Por tentativa e erro, acabei descobrindo que ocorre um bloqueio em grau considerável do raio emitido pelo olho humano na faixa delta, com o padrão invertido: a amplitude delta aumenta quando a pessoa abre os olhos. Isso também pode ser observado quando se coloca um eletrodo logo acima do olho direito no couro cabeludo, num local chamado de Fp2 na literatura sobre EEG. O bloqueio delta no raio emitido pelo olho humano pode, em princípio, se dever ao fato de a faixa delta ser bloqueada pelas pálpebras quando a pessoa fecha os olhos, mas como o bloqueio delta invertido também ocorre no

Fp2, os dados provam que o bloqueio delta no raio emitido pelo olho visual é uma verdadeira diferença que ocorre no cérebro e no raio emitido pelo olho, não um artifício causado pelo fechamento das pálpebras.

Os dados dos meus primeiros experimentos provaram que o raio emitido pelo olho humano existe e tem maior intensidade (amplitude em μV) do que o campo geral que emerge através do crânio. O raio emitido pelo olho é fisiologicamente ativo no sentido de que ele flutua acompanhando o estado do cérebro (ele exibe o bloqueio alfa invertido). Além disso, a eletrofisiologia do raio emitido pelo olho difere da das áreas próximas do cérebro: o bloqueio alfa é invertido no raio emitido pelo olho e segue o mesmo padrão que o delta no raio emitido pelo olho (a amplitude do raio emitido pelo olho aumenta quando os olhos estão abertos nessas duas frequências); no ponto Fp2, o bloqueio alfa convencional é observado (no Fp2, o alfa aumenta com os olhos fechados). Essa inversão do bloqueio alfa no raio emitido pelo olho em comparação com Fp2 é algo que necessita de mais estudo. Números típicos obtidos com meu equipamento são os seguintes:

Tabela 6.1 Leituras da amplitude (μV) simultâneas do raio emitido pelo olho e do couro cabeludo (Fp2) com os olhos abertos e fechados

Fp2							
	Delta	Teta	Alfa	Lobeta	Beta	Hibeta	Gama
Olhos abertos	6,80	4,14	4,94	3,47	5,85	2,28	0.35
Olhos fechados	5,61	4,26	8,41	4,39	6,08	4,95	1,44

Raio emitido pelo olho							
	Delta	Teta	Alfa	Lobeta	Beta	Hibeta	Gama
Olhos abertos	17,06	14,46	21,79	24,94	28,95	15,38	7,53
Olhos fechados	12,68	9,36	13,29	20,76	40,04	21,06	5,46

Para esses experimentos, o eletrodo ligado à terra foi colocado sobre a minha apófise direita, o eletrodo de referência para o raio emitido pelo olho sobre o lóbulo da orelha direita e o eletrodo de referência para o ponto Fp2 sobre o lóbulo da orelha esquerda. Essas informações foram incluídas para o caso de alguém querer reproduzir os experimentos usando os clássicos eletrodos de cloreto de prata. Os dados foram obtidos de sessões de avaliação de 10 segundos.

Eu pensei que um modo efetivo de demonstrar a realidade da existência do raio emitido pelo olho humano, para responder ao desafio colocado por James Randi, seria usar o software de neurofeedback padrão Brain Master, e determinar o limiar da recompensa para delta em, digamos, 20 μV para uma sessão de treinamento (ele teria de ser determinado por tentativa e erro). O sinal sonoro indicando a recompensa não ocorre durante as sessões de avaliação, que são selecionadas com o uso do software. O valor mais útil do limiar da recompensa varia um pouco de pessoa para pessoa e precisa ser determinado por tentativa e erro. As leituras indicadas na Tabela 6.1 são valores médios obtidos ao longo de uma rodada de avaliação de 10 segundos e mostram que o delta fica acima de 15 μV quando a pessoa está com os olhos abertos (o resultado pode flutuar abaixo de 15 μV uma vez ou outra, pois esse resultado corresponde ao valor médio obtido ao longo de 10 segundos).

Em um treinamento de neurofeedback, pode-se estabelecer o limiar de realimentação da recompensa de várias diferentes maneiras, mas, basicamente, se você quer reduzir a amplitude de determinada faixa de frequências, digamos que da alfa, em uma certa área padrão do couro cabeludo raspado, você programa o software para que ele recompense o cérebro quando a amplitude ficar abaixo de um certo limiar. Então você escolhe um sinal sonoro de um catálogo e realiza uma sessão de treinamento. Quando o alfa estiver acima do limiar, há silêncio, e quando estiver abaixo, ocorre um sinal sonoro. Outro software oferece recompensas visuais, mas os princípios são os mesmos.

Por outro lado, se o alfa estiver demasiadamente baixo, você programa o software para que o sinal sonoro seja ouvido apenas quando a amplitude estiver acima do limiar. Em resposta à realimentação, o cérebro ajusta a amplitude da faixa de frequências selecionada naquele local e o problema clínico é tratado, quando o procedimento funciona.

Eu propus um desafio à James Randi Educational Foundation. O desafio teria de seguir as regras explicitadas em sua página na internet (www.randi.org), o que eu fiz, e incluí citações de Toulmin e Schrödinger, como também de um ensaio de Gerald Winer para estabelecer que o raio emitido pelo olho humano é um fenômeno "paranormal" de acordo tanto com a ciência ocidental como com os critérios de James Randi.

Meu desafio era que eu podia emitir um feixe de energia para fora de meus olhos, captá-lo em um par de óculos que eu havia criado e usar essa energia para fazer com que um sinal sonoro emergisse de um alto-falante. Eu disse que há muitos nomes para designar esse tipo de energia. Disse também que achava que é essa mesma energia que na medicina chinesa é chamada *chi* e, no Ocidente, é conhecida como *aura humana*. James Randi esclarece como regras de seu desafio que não quer saber da teoria ou da filosofia por trás do fenômeno, mas apenas que o fenômeno seja demonstrado. Além do mais, as regras estabelecidas por ele determinam que, uma vez que o desafio paranormal tenha sido aceito, como aconteceu com o meu, a demonstração subsequente do mecanismo científico por trás do fenômeno não invalida o desafio. Essa regra confirma a existência do fenômeno que é classificado como paranormal para os propósitos do desafio.

Foi por isso que meu desafio foi aceito. O raio emitido pelo olho humano satisfaz a todos os critérios de fenômeno "paranormal" requeridos pela ciência moderna e também às regras estabelecidas por James Randi para o desafio. Na verdade, não há nada de "paranormal" no fato de ondas cerebrais emergirem pelos olhos, uma vez que elas também emergem através do crânio. Esta é a questão: "paranormal" é uma categoria sociológica, não científica. Muitas coisas são encaixadas na categoria de "paranormal" pela ciência ocidental, entre elas o raio emitido pelo olho humano. Algumas coisas incluídas nessa categoria são, no entanto, reais e preenchem perfeitamente os critérios científicos.

Uma vez que um fenômeno "paranormal" tenha sido medido e entendido, ele passa da categoria de paranormal para a categoria científica. Mas, na realidade, ele nunca foi paranormal: a colocação dele nessa categoria foi baseada em uma atitude tendenciosa e não científica. Isso vale para os campos de energia humanos em geral. O meu propósito intelectual de responder ao desafio de James Randi era o de obter uma confirmação independente, vinda de um cético da paranormalidade, de que o raio emitido pelo olho humano é um "fenômeno paranormal". Nesse sentido, James Randi era o representante perfeito de toda a ciência ocidental, não apenas proferindo uma opinião pessoal.

Por que este é um experimento crucial na ciência dos campos de energia humanos

A prova experimental da realidade do raio emitido pelo olho humano é um experimento crucial na ciência dos campos de energia humanos. Eu escolhi a detecção do raio emitido pelo olho humano como o primeiro experimento crucial por uma série de motivos. Primeiro, o sistema prototípico estava dentro de minhas possibilidades financeiras. Além disso, a existência do raio emitido pelo olho humano era uma questão explicitamente proibida pelos psicólogos, fisiologistas, físicos e cientistas de praticamente todas as outras áreas da ciência moderna, por causa de seu modelo de percepção visual humana — a intromissão. A história desse modelo pode ser remontada a John Locke.

Ligar e desligar um dispositivo pelo olhar demonstra conclusivamente que o campo de energia humano interage com a física do mundo exterior de maneira mensurável e reproduzível. Quando a tecnologia do raio emitido pelo olho se tornar comercialmente acessível, eu concluí, todo mundo saberá por experiência direta que seu campo de energia pessoal interage com o mundo material exterior. Uma vez provada a existência do raio emitido pelo olho humano, teremos uma hipótese científica testável de que o campo de energia humano em geral interage com o mundo exterior. Além do mais, pode-se esperar que haja um contrassinal emitido pelo ambiente para a pessoa que o emitiu. Teremos então um sistema digital de comunicação que poderia, em princípio, transmitir informações significativas.

As interações do campo de energia humano devem ter evoluído na biosfera como todos os outros aspectos do organismo humano. É provável que a sensibilidade aos sinais recebidos e emitidos tenha conferido superioridade em termos de sobrevivência e participado no processo da seleção natural, pelo menos até o surgimento da civilização ocidental. Por isso, eu comecei a pensar em como tudo isso poderia funcionar e se outras partes do corpo humano poderiam emitir sinais importantes. Com base em minha própria experiência e em minhas leituras, eu considerei a hipótese de o plexo solar (o gânglio celíaco) ser um importante meio de recepção e transmissão de sinais humanos, geofísicos e outros sinais eletromagnéticos.

Eu pensei comigo mesmo: se o telefone celular funciona, por que não poderia haver uma comunicação biologicamente significativa pelo uso de campos eletromagnéticos dentro da biosfera? Nos capítulos a seguir, apresentarei hipóteses específicas testáveis dessa linha de pensamento.

Capítulo 7

A PSICOFISIOLOGIA DOS SENTIMENTOS VISCERAIS

Outro exemplo de experiência humana comum negada pela moderna ciência é a que diz respeito às chamadas "sensações na barriga" ou sentimentos viscerais. Expressões comuns como *eu sinto isso na barriga, eu simplesmente sigo as minhas entranhas, eu ouço o que sinto visceralmente, isso simplesmente não está de acordo com o que estou sentindo por dentro* e até mesmo *eu o odeio com todas as minhas entranhas*, todas elas têm um fundamento válido em uma realidade que pode ser investigada. Aqui o problema não é tanto o dualismo ou o reducionismo como doutrina adicional da ciência moderna: a mente está subordinada ao cérebro e apenas ao cérebro.

De acordo com o reducionismo, a mente é causada pelo cérebro e pode ser reduzida a ele. A causalidade não é admitida no sentido contrário, mesmo quando o dualismo é admitido: a mente não pode causar o cérebro. Praticamente todos os modelos modernos que consideram a mente como uma propriedade emergente da complexa função bioquímica do cérebro aderem, não obstante, à doutrina segundo a qual a mente está localizada apenas no cérebro. Não há mente em seu cotovelo, por exemplo.

Um dos meus propósitos é provar cientificamente que a mente não está localizada unicamente no cérebro. Em primeiro lugar, porque o campo eletromagnético se estende para muito além do corpo e interage com a física do mundo material de maneira biologicamente significativa – essa é uma hipótese da ciência dos campos de energia humanos possível de ser testada e sobre a qual eu me alongarei em capítulos posteriores.

A mente humana está localizada em todo o corpo humano e não apenas no cérebro

A mente pode ser descrita como uma faculdade localizada no cérebro, próxima dele, acima dele ou em combinação com ele. A terminologia não importa, pois todos os termos possíveis são igualmente metafóricos e nenhum pode ser diferenciado experimentalmente de qualquer um dos outros. Se a mente é uma propriedade geral da matéria, então uma forma dela tem de então existir ao longo de todo o corpo. No entanto, isso não quer dizer que seu cotovelo tem opiniões sobre a política externa dos Estados Unidos. Apenas a mente cérebro-cortical, a mente mental (a alma racional de Descartes) pensa e concebe o mundo dessa maneira.

No entanto, a mente mental não é o único tipo de mente que existe – há tantas variedades de mente quanto de tecidos e de espécies vegetais e animais. A ciência ocidental limitou-se a admitir a mente mental humana como o único tipo de mente existente no universo. Apenas o córtex cerebral humano gera a mente, de acordo com esse ponto de vista, e apenas os seres humanos são dotados de linguagem e de consciência. De acordo com essa doutrina, os animais não podem pensar, apesar dos padrões de comunicação dos golfinhos e de outras espécies. Mesmo os papagaios com vocabulários de 400 palavras são vistos como nada mais que máquinas automáticas falantes – não se admite que eles tenham "mentes".

Essa doutrina leva à proposição de que apenas os neurônios do córtex frontal do cérebro humano geram consciência. A possibilidade de essa proposição vir algum dia a ser provada cientificamente é nula. Isso porque ela está baseada em um modelo errôneo de mente. Para começar, por conceber a mente como originária apenas do cérebro, apenas do córtex e apenas de uma parte do córtex – esse modelo sofre da mesma falha lógica básica de todos os modelos de propriedade emergente. Mas em um nível meramente prático, ninguém jamais conseguirá demonstrar que uma propriedade eletroquímica dos neurônios do córtex frontal seja exclusiva desses neurônios. As leis da física são as mesmas em todo o cérebro e nenhuma "propriedade emergente" (nenhuma alma racional) é admitida pela ciência materialista.

Outro problema lógico é o da fronteira entre neurônios conscientes e neurônios inconscientes. Essa fronteira não existe na natureza, mas os modelos de propriedade emergente a requerem. É evidente que algumas partes do cérebro têm envolvimento com a linguagem e outras não. Nenhuma fronteira entre essas regiões poderá, no entanto, ser demonstrada biologicamente, se a mente for uma propriedade geral da matéria. A ciência ocidental é dominada pelo chauvinismo córtico-frontal: os intelectuais e acadêmicos do Ocidente afirmam que a mente mental humana é a única forma de mente que existe. Essa é na realidade uma descrição tipicamente ocidental do campo de energia humano, a qual contém uma dissociação entre cabeça e corpo, mas não é uma descrição precisa de outras psicologias ou culturas, ou outras espécies (ela é uma hipótese testável pela nova ciência).

A mente humana, ou espírito humano, estende-se para fora do corpo humano e interage com o mundo material exterior. Ela também tem origem em todas as áreas do corpo, sendo uma delas o plexo mientérico, o plexo hipogástrico e todo o sistema nervoso do abdômen. No entanto, de acordo com a ciência e a medicina do Ocidente, as emoções são geradas unicamente no sistema límbico do cérebro e são enviadas para o córtex frontal para registro consciente. Também chegam ali *inputs* vindos das vísceras em forma de sensações como distensão, cãibra, dor e outras, mas esses sinais nervosos são elétricos e inconscientes enquanto não são recebidos e processados pelo cérebro.

A expressão *pressentimento*, ou "*sensação na barriga*", ou *sentimento visceral*, de acordo com a medicina ocidental, é apenas uma maneira de se expressar ou uma ilusão subjetiva. As vísceras não têm mais sentimento do que as rochas ou as plantas, de acordo com o materialismo e o reducionismo. Temos aqui uma outra variante da distinção entre matéria animada e matéria inanimada. Se o córtex frontal humano pode ter a experiência consciente dos sentimentos, isso basta para a matéria obrigatoriamente gerar uma propriedade emergente que não existe em todas as outras formas de matéria, o que nos leva de volta ao dualismo e à alma racional de Descartes. Se não é admitida a existência de nenhum *élan vital*, os seres humanos não podem tampouco ter pensamentos ou sentimentos.

Eu proponho que as vísceras têm sentimentos e que a mente é gerada não apenas pelo cérebro, mas por todo o corpo humano.

Testando a teoria de que os sentimentos viscerais são literalmente reais

É possível realizar experimentos para provar que existe mente nas vísceras sem usar o *Whole Body EM Scanner* [*Scanner* Eletromagnético do Corpo Inteiro]. Um aparelho convencional de EEG com vários eletrodos é suficiente para se realizar uma pesquisa preliminar. Se a mente é gerada apenas pelo cérebro, então é um absurdo fixar eletrodos de EEG no tórax ou no abdome. No entanto, se existe mente no corpo, o procedimento faz perfeito sentido. Esse é outro exemplo de como o dualismo e o reducionismo impedem o desenvolvimento da ciência dos campos de energia humanos.

Um aparelho de EEG com oito eletrodos bastaria. Eu fixaria eletrodos sobre a testa (chakra frontal), a garganta, o esterno (chakra cardíaco), sobre o plexo celíaco (chakra do plexo solar) e sobre o plexo hipogástrico. Os dois eletrodos restantes poderiam ser colocados sobre alguns dos membros como eletrodos de referência. Eu encaminhei minha solicitação de patente para essa aplicação da tecnologia de EEG já existente em 2008.

Uma ampla faixa de diferentes desafios e tarefas poderia ser realizada experimentalmente com o uso de voluntários normais. Por exemplo, poderia se começar com uma linha de base constituída por uma imagem e uma trilha sonora calmas e neutras em um computador. De repente, o vídeo passaria a mostrar as imagens alarmantes e assustadoras de um filme de terror. Isso geraria um pico detectável no EEG do chakra frontal. Um sinal seria então transmitido do cérebro para o abdome, e poderia então ser rastreado conforme passasse pelos eletrodos sobre a garganta, o coração e o gânglio celíaco.

O pico de uma resposta visceral seria então observado no eletrodo sobre o plexo hipogástrico e um sinal de resposta seria enviado de volta ao cérebro, resultando em uma modificação do EEG do cérebro. Isso seria uma conversa mútua entre a cabeça e as vísceras, com a participação dessas últimas na avaliação do estímulo, e na resposta a ele. Seria possível acrescentar ao procedimento a medição de níveis seriados de cortisona e adrenalina no sangue, o ritmo cardíaco, a reação galvânica da pele e outras.

Um vídeo com imagens tristes causaria, ao contrário, uma ativação preferencial do chakra cardíaco, uma vez que a tristeza é sentida em nossos corações, e não apenas em nossos cérebros. De maneira semelhante, um vídeo de uma criança muito amada ou de um animal de estimação estimularia mais o chakra cardíaco do que o fariam os eletrodos sobre a garganta e o plexo hipogástrico. Em princípio, em experimentos com animais, poder-se-ia fazer a incisão de certos nervos para investigar as rotas exatas de transmissão de tais sinais.

Uma forma mais sensível de detector de mentira poderia ser desenvolvida com o uso do *Chakra EEG System* [Sistema de EEG para os *Chakras*]. A pessoa saberia visceralmente que estaria mentindo. As respostas de voluntários normais também poderiam ser estudadas depois de eles terem recebido diferentes medicações, participado de práticas de meditação ou de exercícios de hipnose, e assim por diante.

O transtorno do estresse pós-traumático, a síndrome do pânico e outras fobias simples ofereceriam bons modelos laboratoriais para o estudo da participação das vísceras na avaliação e no processamento de sinais de perigo. Eu prevejo um nível de reações viscerais a estímulos fóbicos altamente amplificado em pessoas que sofrem de distúrbios de ansiedade em comparação com as pessoas sem esses distúrbios. E prevejo uma diferença significativa nos perfis EEG das vísceras entre pessoas com fobias antes e depois de um tratamento bem-sucedido.

Quanto ao transtorno do estresse pós-traumático, meu prognóstico é que haverá uma significativa hiper-reatividade nas vísceras e não apenas no cérebro. Alguns casos de transtorno do estresse pós-traumático podem não responder ao tratamento convencional porque boa parte do problema está na mente visceral e não na mente cerebral. O *neurofeedback* obtido com eletrodos colocados no abdome poderia ajudar as pessoas que não respondem ao *biofeedback* convencional, às medicações ou à terapia cognitiva-comportamental.

A vantagem do *Chakra EEG System* está no fato de ele poder ser comprado de muitos diferentes fornecedores por alguns poucos milhares de dólares. Não há necessidade de nenhuma mudança na tecnologia, apenas em sua aplicação e no modelo científico por trás dela. O *Chakra EEG System* poderia ser usado no *biofeedback*, bem como no diagnóstico e na avaliação da resposta à terapia cognitiva-comportamental ou a medicações.

Eu usei como exemplos o transtorno do estresse pós-traumático, a síndrome do pânico e outras fobias, mas o procedimento pode ser avaliado em todas as doenças e para todos os tratamentos. Por exemplo, eu prevejo uma falha no sistema de comunicação entre o cérebro e o abdome em doenças como o autismo e outras relacionadas ao afeto. Nas doenças de somatização, eu prevejo uma ativação incomumente alta do campo eletromagnético do corpo.

Dados provenientes do chakra do plexo solar (gânglio celíaco) obtidos pelo uso do *Two-channel Biofeedback System* [Sistema de *Biofeedback* de Dois Canais]

Eu colhi dados de um voluntário colocando eletrodos acima da sobrancelha direita no ponto Fp2, sobre o coração e sobre o gânglio celíaco. Para o coração, coloquei o eletrodo cerca de dois centímetros abaixo da linha dos mamilos, e para o gânglio celíaco, dois centímetros abaixo da ponta do apêndice xifoide (terceira porção do esterno, consistindo em um processo cartilaginoso — um pequeno pedaço de cartilagem que se estende para baixo a partir da parte inferior do esterno — situado em sua parte inferior, onde se inserem a linha alba, os músculos grandes retos do abdome e dois feixes anteriores do diafragma), com o voluntário na posição supina (deitado de costas). Como eu tinha apenas dois canais disponíveis, eu fiz leituras em duas combinações: Fp2-gânglio celíaco (sequências 1 e 2); e gânglio celíaco-coração (sequências 3 e 4). Eu realizei duas sequências para cada combinação, uma vez com os olhos abertos e outra com os olhos fechados.

Em cada uma dessas combinações, eu fiz as medições com os olhos abertos por dez segundos e com os olhos fechados por dez segundos. Os eletrodos de referência foram colocados nos lóbulos das orelhas e o eletrodo ligado na apófise direita do osso temporal.

Os dados colhidos nessas leituras foram os seguintes:

Tabela 7.1 Leituras da Amplitude (μV) no Fp2, no Coração e no Gânglio Celíaco

Sequência	Condição dos olhos	Delta	Teta	Alfa	Lobeta	Beta	Hibeta	Gama
Fp2								
1	abertos	36,45	11,96	6,21	4,23	4,41	4,68	1,59
2	abertos	27,15	13,44	7,32	2,45	4,21	3,59	1,26
1	fechados	7,29	3,86	9,64	2,58	4,09	3,14	0,96
2	fechados	6,48	4,50	11,48	3,12	4,04	2,64	0,86
Gânglio celíaco								
1	abertos	91,42	54,36	23,66	14,04	6,94	9,99	2,96
2	abertos	92,71	50,15	16,94	8,24	5,06	13,47	2,07
3	abertos	93,69	49,11	19,62	8,80	5,78	9,04	2,71
4	abertos	89,99	49,47	18,56	7,86	5,78	14,66	3,57
1	fechados	87,44	52,71	12,14	7,33	4,65	17,86	1,96

Sequência	Condição dos olhos	Delta	Teta	Alfa	Lobeta	Beta	Hibeta	Gama
2	fechados	89,98	48,94	24,23	19,12	8,94	11,06	7,38
3	fechados	91,35	46,85	14,37	9,40	5,81	17,63	5,05
4	fechados	87,13	53,32	18,64	9,02	6,00	7,57	2,65
Coração								
3	abertos	65,73	41,45	16,44	15,43	7,07	7,66	1,70
4	abertos	70,62	43,85	20,32	10,60	18,17	13,68	1,65
3	fechados	67,85	40,55	22,28	13,36	17,31	15,69	2,47
4	fechados	67,27	45,46	14,43	13,68	4,35	8,36	1,48

Estes dados ilustram vários pontos com respeito às medições de EEG obtidas a partir de posições típicas atribuídas aos chakras. Em primeiro lugar, a amplitude em microvolts (μV) é maior na região do plexo solar do que na do coração; e maior na região do coração do que na do crânio. No Fp2, o sinal tem de atravessar o crânio para atingir o eletrodo; e no chakra cardíaco ele tem de atravessar o esterno. Isso pode explicar por que a amplitude é maior no plexo solar, mas também o campo eletromagnético pode ser um pouco mais intenso no plexo solar.

Em segundo lugar, olhando para os bloqueios, vemos que não há nenhuma diferença entre as medidas tomadas na altura do coração ou do plexo solar nas faixas de frequência delta e teta quando se compara olhos abertos com olhos fechados. Entretanto, ela ocorre no Fp2, onde a amplitude é maior com os olhos abertos tanto na frequência delta como na frequência teta. O bloqueio inverso da frequência delta ocorre no Fp2 e no raio emitido pelo olho (ver Capítulo 6), mas não ocorre no coração nem no plexo solar. Quanto ao bloqueio alfa, constata-se que o alfa aumenta no Fp2 quando os olhos estão fechados, como era de se esperar. No plexo solar, foi observado um bloqueio inverso na frequência alfa na sequência 1, um bloqueio convencional na frequência alfa na sequência 2, um bloqueio inverso na frequência alfa na sequência 3 e nenhuma alteração na sequência 4. No coração, um bloqueio convencional na frequência alfa foi observado na sequência 3 e um bloqueio inverso na frequência alfa na sequência 4.

Os dados relativos aos bloqueios ilustram o fato de que o plexo solar e o coração são locais eletrofisiologicamente ativos. Quando se examina as faixas lobeta-beta-hibeta, verifica-se que elas permanecem estáveis na área Fp2, mas muito mais variáveis nas do coração e do plexo solar, dependendo de os olhos estarem abertos ou fechados. É necessário muito mais pesquisa para se estabelecer normas para a população em geral e para pessoas com várias condições médicas e psiquiátricas. Esses dados, no entanto, ilustram estes fatos: leituras de EEG podem ser feitas em áreas correspondentes aos chakras; estes são fisiologicamente ativos; com frequência, eles variam de acordo com o estado do cérebro (olhos abertos *versus* olhos fechados), mas nem sempre na mesma direção; e a amplitude é maior sobre o plexo solar e o coração (embora o sinal do coração tenha de atravessar o esterno para atingir o eletrodo).

Um grupo de pesquisadores da Universidade de Sussex demonstrou que, usando eletrodos de impedância ultraelevada, o campo elétrico do coração pode ser detectado mesmo que o eletrodo esteja situado a um metro de distância do corpo (Harland, Clark & Prance, 2002; Harland, Clark & Prance, 2002; Prance, Beardsmore-Rust, Aydin, Harland & Prance, 2008; Prance, Debray, Clark, Prance, Nock, Harland & Clippingdale, 2000). O campo elétrico do cérebro é muito mais fraco, tendo sido, até agora, detectado apenas a uma distância de dois milímetros do corpo. No entanto, é fato científico comprovado que o campo eletromagnético do corpo humano pode ser detectado a uma distância remota. Como esse é um fato comprovado, é cientificamente possível que tais sinais possam ser detectados a distância por outro ser humano. O corpo humano pode ser um sistema de processamento mais sensível de sinais eletromagnéticos do que o equipamento eletrônico de que dispomos atualmente. Para provar ou refutar as hipóteses apresentadas neste livro, serão necessários muitos experimentos e também o desenvolvimento de detectores de sinais e de tecnologias de amplificação progressivamente mais sensíveis.

Capítulo 8

O *SCANNER* ELETROMAGNÉTICO DO CORPO TODO: PREVISÕES ESPECÍFICAS DA NOVA CIÊNCIA

O *Whole Body EM Scanner* poderia ser usado para investigar todos os aspectos da fisiologia normal, seu desempenho ideal, doenças e respostas a tratamentos. O *scanner* é semelhante a um aparelho de ressonância magnética no qual a pessoa a ser examinada se posiciona deitada sobre uma mesa e tem seu corpo escaneado a partir do alto. Acima da pessoa, há um conjunto de eletrodos capazes de captar o campo eletromagnético do corpo sem contato direto com a pele. O aparelho é alojado em um compartimento eletromagneticamente isolado para reduzir o ruído de fundo. Eu solicitei a patente para o *Whole Body EM Scanner* em 2008.

Dois tipos de software podem ser usados para analisar o sinal eletromagnético recebido do corpo. A informação pode ser transformada em uma imagem anatômica como uma imagem de ressonância magnética, ou pode ser exibida como uma imagem animada mostrando em tempo real do campo eletromagnético flutuante. Nesse modo de operar, o *Whole Body EM Scanner* é capaz de rastrear toda atividade elétrica no corpo, inclusive da transmissão elétrica pelos nervos, a atividade do cérebro e a dos chakras, os meridianos chi (supondo-se que eles existam e que sejam de natureza eletromagnética) e as reações do corpo ao *input* eletromagnético vindo do ambiente circundante.

Os meridianos chi constituem a base de muitos tratamentos realizados pela medicina chinesa, inclusive pela acupuntura. Eles são os canais ao longo dos quais a força vital – *chi* – circula pelo corpo. As doenças surgem de bloqueios e anormalidades do fluxo de chi, que podem ser sanados por vários diferentes métodos de tratamento. Os meridianos chi não correspondem a nenhuma estrutura anatômica reconhecida pela medicina ocidental.

O input eletromagnético vindo do ambiente poderia incluir campos geomagnéticos, os campos de energia humanos de outras pessoas, o raio emitido pelo olho humano, os campos terapêuticos aplicados ao corpo e uma série infindável de outras fontes eletromagnéticas, inclusive de animais domésticos, plantas, cristais e aparelhos eletrônicos como computadores, televisores e telefones celulares. Os efeitos dessas fontes sobre o campo de energia da pessoa que está sendo escaneada podem ser neutros, positivos ou prejudiciais. Os dados coletados de tais estudos poderiam afetar os padrões industriais de segurança e levar à validação de muitas intervenções terapêuticas.

O que se segue é uma lista ilustrativa de algumas possíveis aplicações do *Whole Body EM Scanner*.

Ataques cardíacos

O ataque cardíaco é um evento eletrofisiológico. Estudei isso no primeiro ano do curso de medicina, quando aprendi a detectar a assinatura de um ataque cardíaco sério e recente por meio de um ECG. Depois, pude reconhecer esse mesmo padrão em minha própria prática no atendimento de emergência. O ECG padrão de uma pessoa que acabou de ter um sério infarto do miocárdio é fácil de reconhecer em um primeiro olhar:

O padrão eletromagnético que acompanha cada batimento cardíaco é chamado de complexo QRS. Depois de um ataque cardíaco, o segmento ST aumenta. No entanto, existem anormalidades progressivamente mais sutis no ECG com ataques cardíacos progressivamente mais fracos, até o sinal se confundir com o ruído de fundo (antes de cair abaixo do limiar de sensibilidade do eletrocardiógrafo). Se esse aparelho tiver sensibilidade milhares de vezes maior, em princípio o nível de resolução poderia descer até as células individuais.

A questão então passa a ser: quão pequeno poderia ser um ataque cardíaco para ser detectado por um *scanner* eletromagnético que fosse mais sensível do que um aparelho padrão de ECG, mas não tão caro a ponto de o sistema de assistência à saúde não poder arcar com esse custo? Aqui, as aplicações de pesquisa científica do *Whole Body EM Scanner* podem divergir das aplicações clínicas economicamente realistas.

Eu proponho que um ataque cardíaco é, na realidade, um evento que ocorre em todo o corpo. Ocorre uma grande tempestade elétrica não apenas no coração, mas em todo o corpo. A distribuição, a amplitude e a frequência do campo eletromagnético em diferentes locais do corpo podem fornecer informações clinicamente importantes para o prognóstico e o tratamento.

Eu também prevejo que o *Whole Body EM Scanner* é capaz de detectar um ataque cardíaco muito antes de ele ocorrer, uma vez que ele é capaz de detectar perturbações eletromagnéticas sutis resultantes do comprometimento do fluxo sanguíneo que supre de sangue as células do músculo do coração. Além disso, prevejo que qualquer anormalidade na transmissão do campo eletromagnético ao longo do braço esquerdo pode ser detectada muito antes de ocorrer o ataque cardíaco. Baseio esse prognóstico no fato de a dor e o desconforto que se irradiam ao longo do braço esquerdo serem sintomas comuns do infarto do miocárdio ou ataque cardíaco.

Convulsões e enxaquecas

O mesmo princípio se aplica às convulsões: prevejo que elas são eventos que ocorrem no corpo todo, e não apenas tempestades eletromagnéticas no cérebro. Isso tem de ser verdade, porque não podem ocorrer convulsões generalizadas sem que também ocorra uma atividade eletromagnética intensa e caótica nos nervos periféricos, nas junções neuromusculares por todo o corpo e em todas as células musculares do corpo.

O *Whole Body EM Scanner* também poderia ser usado para estudar as diferenças eletromagnéticas entre os diferentes tipos de convulsão. As convulsões generalizadas resultam em perda da consciência e em convulsões totais. Convulsões complexas e parciais resultam em um estado de consciência crepuscular acompanhado de atos repetitivos simples, como ficar remexendo em um botão. As convulsões com estados de distração envolvem um olhar fixo no espaço sem nenhum movimento normal. As convulsões jacksonianas epilépticas podem envolver movimentos musculares anormais que sobem ao longo de um braço, sem nenhuma alteração na consciência. Cada um desses tipos de convulsão deve ter uma assinatura eletromagnética bem característica do corpo todo.

As convulsões podem ser provocadas por um campo eletromagnético externo — os psiquiatras fazem isso propositalmente quando enviam energia elétrica para o interior do cérebro durante as sessões de terapia eletroconvulsiva. Na indústria, se o cérebro de uma pessoa sofresse uma exposição equivalente de carga elétrica, o evento seria classificado como *acidente*, do qual se esperaria a ocorrência de algum dano. Haveria consequências legais e financeiras, e investigações por parte de órgãos governamentais para tentar evitar futuros acidentes desse tipo.

Assim como os ataques cardíacos podem se tornar menores e menos graves, em princípio também as convulsões podem se tornar cada vez menores. Uma convulsão muito pequena envolvendo distração pode parecer a um observador externo uma situação normal em que a pessoa está absorvida em si mesma, mas ela tem que ter uma diferente assinatura eletromagnética. O *scanner* eletromagnético poderia investigar todo o espectro contínuo que vai desde uma plena convulsão generalizada até as contrações passageiras normais dos músculos, chamadas fasciculação na linguagem da medicina. É curioso observar contrações musculares rápidas ocorrendo em uma pequena área de um braço ou coxa — essa é basicamente uma pequena convulsão localizada. Ela provavelmente tem origem nas células musculares daquela área, mas, em princípio, parte da fasciculação poderia ser causada por convulsões cerebrais muito pequenas (convulsões minijacksonianas).

Em neurologia, sempre se supõe que as convulsões são originárias do cérebro, mas não é necessariamente isso o que acontece: algumas tempestades eletromagnéticas no cérebro podem ter origem fora dele, assim como acontece quando os psiquiatras administram terapia eletroconvulsiva. Um lugar fora do cérebro onde certas convulsões podem ter origem é em algum outro local do corpo. Consequentemente, em algumas pessoas que sofrem de epilepsia, o *foco epiléptico* anormal — o tecido anormal onde a convulsão tem início — pode estar no corpo. O *Whole Body EM Scanner* poderia detectar esse foco e, com isso, o tratamento poderia ser direcionado a ele.

Um dos motivos pelos quais o foco epiléptico, em alguns casos de epilepsia, poderia estar fora do cérebro é o fato de o restante do EEG ser normal em 90% dos casos — talvez o resultado de o exame do *Whole Body EM Scanner* ser anormal em um subconjunto de casos, nos quais o foco está fora do cérebro. Sabemos que ocorre um tráfego eletromagnético contínuo de mão dupla entre o corpo e o cérebro o tempo todo: sem ele, nós não sentiríamos nada nem nos moveríamos. Se o tráfego eletromagnético sensorial pode passar do corpo para o cérebro, por que também não o poderia o tráfego da convulsão?

Se nos esquecermos por um instante da natureza destrutiva da terapia eletroconvulsiva, concluiremos que ela nem sempre teria de ser administrada ao cérebro. Poderia haver um *foco psiquiátrico* (expressão que acabei de inventar) no corpo em alguns casos de depressão. Este é um postulado geral da teoria dos campos de energia humanos: a causa de uma doença psiquiátrica não precisa estar, necessariamente, no cérebro. Isso já é aceito e reconhecido nos casos de depressão causada por baixos níveis do hormônio da tireoide e em outros exemplos de transtornos psiquiátricos causados por doenças físicas específicas identificadas pela medicina.

Alguns casos de enxaqueca poderiam estar relacionados eletromagneticamente com a epilepsia. Uma enxaqueca também precisa ter uma assinatura eletromagnética no corpo todo e a causa da dor de cabeça pode não estar na cabeça. Por exemplo, há uma forma de enxaqueca chamada de *enxaqueca abdominal* que não apresenta absolutamente nenhum sintoma na cabeça, mas apenas sintomas gastrointestinais. No nível eletromagnético, ela se deve a um "ataque" ou tempestade eletromagnética no abdome.

Em um determinado caso, a enxaqueca pode começar no abdome e nunca deixar essa parte do corpo. Em outro, ela pode começar na cabeça e nunca deixar a cabeça. Em um terceiro caso, ela pode começar no abdome e se generalizar para a cabeça e, em um quarto, ela pode começar na cabeça e se generalizar para o abdome. Cada um desses padrões clínicos deveria ter uma diferente sequência eletromagnética e poderia ser tratado com uma terapia apropriada.

Se considerarmos a enxaqueca como um tipo de doença convulsiva, e reconhecermos que as convulsões podem ser induzidas por campos eletromagnéticos externos, teremos de admitir a possibilidade de que algumas formas de enxaqueca sejam desencadeadas por campos eletromagnéticos externos. Algumas formas de enxaqueca poderiam ser produzidas por tempestades e explosões solares, flutuações eletromagnéticas na ionosfera, campos eletromagnéticos gerados por seres humanos, flutuações nos campos geomagnéticos naturais e outros eventos eletromagnéticos fora do corpo. Algumas formas de enxaqueca poderiam ser tratadas por meio de campos eletromagnéticos ou de blindagem eletromagnética. Melhoras na enxaqueca que ocorre quando a pessoa muda de lugar poderiam se dever, às vezes, ao ambiente eletromagnético, e não às condições meteorológicas, ao clima, à umidade, aos poluentes ou aos alérgenos no ar (todos os quais se reduzem, em todos os casos, à atividade eletromagnética, uma vez que tudo na natureza se reduz à física).

Prevejo que algumas formas de enxaqueca podem ser tratadas com capacetes eletromagnéticos de baixo custo. Também prevejo que algumas formas de epilepsia possam ser tratadas com meditação e psicoterapia. Baseio esses prognósticos em minha própria experiência de tratar estados anormais de desligamento do mundo exterior em pessoas com transtornos dissociativos por meio de psicoterapia. Deve haver uma zona eletromagnética cinzenta entre o estado psicológico absorto originária da mente, e tratável com psicoterapia e o estado absorto epiléptico, originário do cérebro e tratável com medicamentos. A questão a ser pesquisada é: "Até onde a psicoterapia pode penetrar no componente cerebral do campo cérebro-mente?"

Câncer

Há numerosos tipos e causas de câncer. Há sempre uma interação entre o organismo e o meio circundante nas doenças, incluindo o câncer, o resfriado comum, as lesões esportivas, a AIDS e a fibrose cística. Esta última é uma doença genética, mas o curso da doença é profundamente afetado por *inputs* vindos do ambiente externo sob a forma de fisioterapia torácica, antibióticos e reposição de enzimas. Diferentes pessoas portadoras do mesmo defeito genético da fibrose cística apresentam resultados muito diferentes.

Alguns tipos de câncer têm um importante componente genético e outros não. Em todos eles, no entanto, a condição do organismo e a contribuição do meio ambiente podem afetar o resultado. O sistema imunológico de uma pessoa funciona melhor, enquanto outra não consegue parar de fumar e uma terceira inala excesso de fibras de amianto.

Como a biologia se reduz à química e a química se reduz à física, todos os tipos de câncer são fundamentalmente um problema eletromagnético. O câncer precisa ter, portanto, uma assinatura eletromagnética detectável pelo *Whole Body EM Scanner*. A principal questão diz respeito ao grau de sensibilidade que o aparelho precisa para conseguir detectar um câncer em fase inicial: em princípio, o câncer poderia ser detectado no nível de um ponto minúsculo. Tudo isso depende da capacidade da tecnologia para separar o sinal eletromagnético de um minúsculo tumor do ruído de fundo gerado pelo restante do corpo.

O *scanner* pode ser utilizado para rastrear a resposta ao tratamento, para identificar diferentes subtipos de câncer, para detectar metástases e para determinar o alvo preciso para o qual o tratamento deve ser direcionado. Os tratamentos que poderiam ser estudados no âmbito da ciência dos campos de energia humanos incluem as intervenções convencionais da medicina ocidental e também os métodos alternativos da medicina oriental, como o toque terapêutico e a imposição das mãos.

Síndrome da fadiga crônica

Há controvérsias em torno da síndrome da fadiga crônica. Muitos médicos não a consideram uma síndrome autêntica, com características próprias. Muitos médicos pensam que a fadiga crônica poderia ser mais bem entendida se fosse entendida como efeito de outras doenças, como depressão, doenças autoimunes e infecções virais crônicas, entre outras. Do meu ponto de vista, não importa se a fadiga crônica é causada pela síndrome da fadiga crônica, por assim dizer, ou por alguma outra doença. De qualquer maneira, a pessoa fica profunda e cronicamente cansada e, provavelmente, também sofre de fibromialgia crônica, depressão e outros sintomas.

Prognostico que a fadiga crônica é uma perturbação eletromagnética de todo o corpo. Ela não pode ser uma doença psiquiátrica no sentido de "o problema estar na cabeça", porque a anormalidade eletromagnética pode ser detectada em todo o corpo. É possível que diferentes causas da fadiga crônica tenham diferentes assinaturas eletromagnéticas: o exame de um veterano da Guerra do Golfo pode mostrar um resultado diferente do de um cidadão comum que teve uma gripe e, em consequência, desenvolveu uma fadiga crônica. Portanto, eles devem receber tratamentos diferentes.

A doença de Parkinson

A doença de Parkinson é, em certo sentido, bem conhecida. Ela é causada pela carência de um neurotransmissor, a dopamina, em uma parte específica do tronco cerebral chamada de *substantia nigra* (substância negra). Os tratamentos atualmente disponíveis envolvem a prescrição de medicamentos para reposição da dopamina, mas no futuro o tratamento-padrão poderá vir a ser a injeção de células-tronco diretamente no cérebro. Prevejo que na doença de Parkinson será constatada uma redução da atividade eletromagnética na parte da *substantia nigra* do cérebro. Essa descoberta ilustrará o princípio geral de que toda deficiência no nível biológico ou químico é automaticamente uma deficiência eletromagnética, enquanto todo aumento anormal na atividade biológica é automaticamente um aumento eletromagnético.

A doença de Parkinson também ilustrará o princípio geral de que muitas doenças de órgãos são simultaneamente doenças do corpo todo. Embora a anormalidade original da doença de Parkinson esteja no cérebro, a anormalidade eletromagnética ocorre no corpo todo. A ideia de que uma doença "afeta a pessoa como um todo" será um fato literal na física dessa nova medicina. A medicina se tornará "holística", uma vez que a física dos campos de energia humanos empiricamente demonstrada não permitirá outra abordagem. Um tratamento efetivo da doença de Parkinson terá de corrigir a anormalidade eletromagnética no corpo todo.

Membro fantasma

Membro fantasma é o contrário da *agnosia de membro* descrita pelo neurologista Oliver Sacks em seu livro *A Leg To Stand On* (Com Uma Perna Só). Oliver Sacks sofreu uma paralisia temporária de uma perna em consequência de um acidente ocorrido enquanto fazia uma caminhada na Escandinávia. A causa da paralisia deveu-se inteiramente a uma lesão em um nervo da perna — não houve nenhuma lesão em seu cérebro. Durante o tempo em que sua perna esteve paralisada, ele perdeu a sensação de que ela fazia parte dele. Era como se a perna paralisada não pertencesse a ele nem a seu corpo. Ele não a sentia como parte sua.

Sachs então repassou mentalmente muitos casos que ele havia examinado como neurologista, nos quais os pacientes apresentaram a mesma perda mental de um membro. Ele entendeu que o fenômeno fazia parte da neurologia e não era uma mera "reação idiossincrática". Ele também entendeu que, em meu vocabulário, o programa central de sua perna havia sido desativado pela perda de *input* periférico vindo da perna.

O mais importante, do ponto de vista terapêutico, é que a recuperação física de Sacks deu um verdadeiro "salto quântico" quando um terapeuta empurrou-o para dentro de uma piscina e obrigou-o a se debater na água contra sua vontade. De repente, ele voltou a sentir sua perna. E, ao mesmo tempo, sua recuperação deu outro salto espetacular. O princípio neurológico geral é que esse *input* periférico é necessário para manter os programas centrais em funcionamento. No caso da agnosia de membro, o programa é desligado de forma anormal: o membro está presente, mas o programa central está desativado.

No caso do membro fantasma, ocorre o contrário: a pessoa tem a sensação, muitas vezes até mesmo sente dor, no pé esquerdo quando a perna esquerda foi amputada acima do joelho. O membro não existe mais, mas o programa central continua ativado. O tratamento deve ser direcionado para a desativação do programa central, que provavelmente continua ativado pelos sinais nervosos vindos da extremidade do membro amputado.

Do meu ponto de vista, no caso do membro fantasma há uma sombra eletromagnética na parte inferior da perna ausente que se estende para o espaço além do coto. Quando a dor do membro fantasma é tratada com sucesso, a sombra desaparece. A desativação do programa central de um membro no cérebro também pode ser detectada pelo *Whole Body EM Scanner*.

Acredito que o membro fantasma poderia ser uma tentativa mal-sucedida de um ser humano para regenerar um membro à maneira da salamandra. Os controles fundamentais sobre o processo de regeneração de um membro estão no nível eletromagnético e o processo envolve a geração de uma sombra eletromagnética como uma matriz para a sua reconstrução. O objetivo último dessa linha de estudos é aprender a estimular a regeneração de um membro humano pelo uso de campos eletromagnéticos. Esse objetivo poderia ser alcançado em um período de cem anos ou menos.

Acupuntura

Quando estudei medicina, entre 1977 e 1981, a acupuntura era universalmente considerada charlatanice. Atualmente, ela é tratada com muito mais respeito, mas seus mecanismos de ação continuam sendo completamente desconhecidos da medicina ocidental. As teorias para explicar a acupuntura envolvem o efeito placebo ou algum tipo de estimulação de reações químicas ou hormonais.

De acordo com a ciência dos campos de energia humanos, a energia *chi* com que a acupuntura pretende lidar é, na realidade, o campo eletromagnético do corpo. Esse campo pode ser mapeado em tempo real pelo *Whole Body EM Scanner*, e os efeitos das diferentes agulhas em diferentes pontos do corpo podem ser cientificamente mapeados. A diferença entre a acupuntura normal e a eletroacupuntura pode ser estudada de maneira semelhante.

A interação do raio emitido pelo olho humano com o corpo

O raio emitido pelo olho humano interage com a física do mundo exterior da mesma maneira que a aura humana em geral. Esse é um canal de comunicação de mão dupla que se desenvolveu dentro do campo geomagnético da Terra ao longo de centenas de milhões de anos de evolução. Para mim, é improvável que esse canal de comunicação jamais tenha participado da seleção natural e não tenha proporcionado uma vantagem de sobrevivência aos seres humanos e a outros mamíferos. É evidente que isso ocorreu com certas amebas, répteis, peixes e anfíbios.

Quando uma pessoa é colocada deitada no *Whole Body EM Scanner*, a interação do raio emitido pelo olho de outra pessoa com o campo eletromagnético de seu corpo pode ser captada pelo equipamento. Dessa maneira, torna-se possível estudar indivíduos que percebem facilmente quando estão sendo observados. A questão é saber se a maior sensibilidade para perceber o raio emitido pelo olho está localizada na pele, no cérebro ou em ambas as partes da pessoa. A habilidade para perceber o raio emitido pelo olho humano deve melhorar com a prática e piorar com a fadiga. Um canhão eletromagnético que simule o raio emitido pelo olho humano poderia ser usado para estudar os efeitos de limiar na pessoa que está tentando perceber o raio emitido pelo olho, e vários níveis de ruído de fundo poderiam ser introduzidos nos experimentos.

Esse tipo de treinamento teria aplicações militares: por exemplo, os francoatiradores procuram não encarar diretamente seus alvos por muito tempo porque alguns deles parecem sentir que estão sendo vigiados e tratam de se evadir. Se isso é verdade, tem de haver uma interação geral entre caçador e presa na natureza. A presa poderia ser treinada para aumentar sua sensibilidade ou poderia transportar um detector ao campo de batalha.

Sexo

O sexo é fundamentalmente um evento eletromagnético. Todos os seus aspectos eletromagnéticos podem ser estudados pela ciência dos campos de energia humanos. Um *Whole Body EM Scanner* com uma mesa e um arranjo de eletrodos, suficientemente grande para abrigar duas pessoas poderia ser usado para estudar as interações energéticas durante a atividade sexual, que abrangeria ambos os corpos e o espaço entre e ao redor deles. Quando John Donne escreveu seu poema sobre dois amantes em uma cama criando seu próprio mundo à parte, ele estava descrevendo um invólucro eletromagnético objetivamente real que em sua época não podia ser medido.

Além disso, poderiam ser usados detectores menores para estudar o campo eletromagnético entre dois amantes. Ele deveria ter uma amplitude muito maior do que o campo eletromagnético entre duas pessoas estranhas, que não sentem nenhuma atração sexual uma pela outra. Nessa linha de pesquisa, seria possível estudar a diferença entre ligações sexuais intensas e ligações platônicas intensas, como aquela entre mãe e filho. Alguns cristãos poderiam dizer que o campo eletromagnético entre Maria e Jesus era mais intenso do que a média, como também o campo eletromagnético ao redor dos santos.

O grau de "conexão" entre duas pessoas é literalmente uma questão de física. Inversamente, o mesmo também ocorre com o grau de "desconexão" entre duas pessoas, duas tribos, duas culturas ou duas espécies. As pessoas desconectadas de outras tendem a ser desconectadas de si mesmas e da natureza. Tudo isso pode ser estudado pela ciência dos campos de energia humanos. As pessoas apaixonadas apresentam um nível mais intenso de sincronização de seus campos energéticos e esse nível provavelmente aumenta ainda mais e chega ao máximo durante o orgasmo mútuo.

A assinatura energética de um orgasmo mútuo deveria ser completamente diferente da alcançada por meio da masturbação solitária. O padrão de excitação no campo de todo corpo deveria ser diferente quando homens heterossexuais e homossexuais são colocados diante de imagens de homens e mulheres. Uma possível aplicação forense do *Whole Body EM Scanner* seria o estudo dos padrões de excitação dos pedófilos.

Transtornos conversivos

Transtornos conversivos são sintomas psiquiátricos que simulam problemas médicos, mas têm causas psicológicas. Por exemplo, uma pessoa experimenta um intenso conflito provocado pelo seu forte impulso de dar um soco em seu chefe: de repente, seu braço direito fica paralisado. Para os céticos, o problema é definido como "necessidade de chamar a atenção", "problema que está totalmente na cabeça da pessoa", "fingimento de que se está doente para fugir de alguma responsabilidade", "interpretação de um papel" ou coisa parecida.

Prevejo que será descoberta uma alteração mensurável no tráfego eletromagnético entre o braço e o cérebro da pessoa que sofre de transtorno conversivo. Pessoas com esse tipo de transtorno foram descritas pelo psiquiatra francês do século XIX, Pierre Janet, como portadoras de *la belle indifference* (a bela indiferença). O membro está paralisado, mas parece que a pessoa nem percebe e nem está preocupada com isso. Prevejo que se descobrirá que o programa central do membro foi desativado em uma pessoa que sofre de transtorno conversivo, exatamente como ocorreu temporariamente com Oliver Sacks. Inversamente, na dor da conversão, a pessoa sente dor, embora não exista nada de fisicamente errado com ela. Nesse caso, o programa central que controla a dor continua ativado quando deveria estar desativado.

As pessoas que de fato sofrem de paralisia física, de acordo com a descrição de Janet, não apresentam *la belle indifference*: seus programas centrais estão ativados e funcionando (apenas algumas vítimas de paralisia apresentam agnosia de membro, por razões desconhecidas). O *Whole Body EM Scanner* deveria, portanto, ser capaz de detectar a diferença entre um transtorno conversivo e uma doença física real.

Mania e depressão

Com base em minha experiência como psiquiatra, estou absolutamente convencido de que a depressão e a mania são diferentes estados eletromagnéticos do corpo todo. Uma pessoa com transtorno bipolar do humor é muito diferente quando se encontra no estado maníaco. A pessoa maníaca é cheia de vida, de energia, de entusiasmo e de exuberância. Ela faz piadas, rimas, gracejos e planos grandiosos, e tem uma sexualidade hiperativa. Ela fala rapidamente, é expansiva, excitada, animada e contagiosamente divertida (por um tempo, até que seu estado maníaco, por ser incessante e exagerado, se torne dissonante e insuportável para outra pessoa). Mesmo dormindo muito pouco por dias a fio, uma pessoa em estado maníaco pode continuar cheia de energia.

A pessoa em estado maníaco parece irradiar energia. Eu proponho que essa irradiação é, literalmente, um processo mensurável. Ao contrário, quando em estado depressivo, a mesma pessoa se mostra cansada, desanimada, fisicamente indolente e parece irradiar muito pouca energia. Até mesmo a aparência da pele muda quando se passa do estado maníaco para o depressivo. Parece que os vasos capilares sob a pele estão totalmente abertos no estado maníaco, enquanto, no estado depressivo, a aparência da pessoa é pálida e doentia.

O transtorno bipolar do humor não pode ser uma "doença do cérebro", à maneira proposta pela psiquiatria biológica contemporânea, uma vez que ele afeta o corpo todo. O problema com a psiquiatria biológica em sua forma atual é que, em sua maioria, os problemas estudados por ela são, na realidade, problemas eletromagnéticos. Deveríamos poder contar com uma psiquiatria eletromagnética, e não com uma psiquiatria biológica. Os controles, as anormalidades e, por último, os tratamentos eficientes estão no nível eletromagnético. A terapia eletroconvulsiva contemporânea é uma forma primitiva de psiquiatria eletromagnética. Ela é prejudicial para o cérebro e para a mente. Esses danos podem ser facilmente demonstrados por meio do *Whole Body EM Scanner*. Existe atualmente muita documentação sobre essa terapia na literatura que trata de EEG.

A raiva extrema deveria ter uma assinatura eletromagnética distinta, e deveria estar alojada, fundamentalmente, no abdome. É muito provável que em muitas pessoas com depressão, ocorra uma derivação de energia eletromagnética, que seria desviada do restante do corpo para a raiva reprimida no abdome. A mobilização psicoterapêutica dessa raiva deveria causar um efeito clínico antidepressivo e também deveria reverter literalmente a depressão (em amplitude e frequência) do campo eletromagnético no resto do corpo, inclusive o cérebro. As técnicas para se efetuar esse processo podem ser encontradas nos livros clínicos de minha autoria.

A depressão tem, portanto, algumas semelhanças com a enxaqueca abdominal. Provavelmente, não é por coincidência que os remédios tanto para a enxaqueca como para a depressão interagem com o sistema de atuação da serotonina. Em alguns casos de enxaqueca e de depressão, o efeito terapêutico pode estar no abdome e não no cérebro. Tais subconjuntos de casos devem ter padrões eletromagnéticos diferentes dos casos que têm, fundamentalmente, origem no cérebro.

Esquizofrenia

A esquizofrenia também é uma doença do corpo todo. Eu prognostico a ocorrência de um alto grau de anormalidades no campo eletromagnético no nível do plexo solar nos casos de esquizofrenia com severos sintomas negativos. Os sintomas da esquizofrenia podem ser divididos em positivos e negativos: sintomas positivos são aqueles típicos das pessoas esquizofrênicas e que não ocorrem com as pessoas normais. Entre eles estão alucinações, delírios, pensamento desorganizado e comportamento perturbado. Sintomas negativos são experiências que as pessoas normais têm, mas que estão ausentes nos esquizofrênicos. Entre eles estão a sensação de vazio, retraimento para dentro de si mesmo, apatia e outros sintomas de deficiência. A esquizofrenia era, até os primeiros anos do século XX, chamada de *dementia praecox* (demência precoce), expressão que significa uma demência que se instala quando a pessoa ainda é jovem, e que era usada ainda nos primeiros anos do século XX, justificando-se em função desses sintomas negativos. Tais sintomas são semelhantes aos da sensação de vazio, ou de ausência da pessoa real, na demência.

O campo energético de uma pessoa com severos sintomas negativos de esquizofrenia deveria mostrar-se exaurido. Diferentemente da pessoa deprimida, a esquizofrênica não tem uma bola de raiva dissociada no abdome — em vez de raiva, ela tem apenas um vazio. Esse vazio corresponde ao que os antigos xamãs diagnosticavam como *perda da alma*.

O campo de energia entre um homem heterossexual com severa esquizofrenia e uma mulher atraente e dele separada por uma distância de trinta centímetros terá amplitude fraca e poucas flutuações, não apresentando nenhum grau significativo de sincronização entre o homem e a mulher em comparação com a de um homem normal saudável. Essa deficiência no campo energético pode ser medida pelo *Whole Body EM Scanner* ou por algum dispositivo portátil colocado entre as duas pessoas. O campo eletromagnético de interação entre Romeu e Julieta estaria no extremo oposto.

Casos relacionados de deficiência no campo de energia interativa poderiam ser observados em casamentos nos quais um dos parceiros é extremamente narcisista. É altamente provável que homens que agridam e espanquem suas mulheres apresentem perturbações em seus campos de energia interativa.

Para a esquizofrenia, os medicamentos antipsicóticos ajudam algumas pessoas que apresentam os sintomas positivos, mas têm efeito insignificante sobre os sintomas negativos. Isso deveria se refletir na falta de melhora no campo eletromagnético do corpo da pessoa cujos sintomas positivos respondam à medicação.

LSD

Se a imagem exibida apresenta diferentes cores para diferentes frequências, então essa imagem, se for escaneada do corpo de uma pessoa sob efeito do LSD poderá se parecer com uma obra de arte psicodélica ou com um espetáculo de luzes da década de 1960. Esse perfil poderia ser totalmente diferente do que provém de um psicótico ou de uma pessoa sob efeito de outros tipos de drogas ilícitas ou prescritas e, por isso, o scanner poderia ser usado para se estabelecer o diagnóstico. Alucinógenos também intensificam a sensibilidade do corpo ao ingresso nele de eletromagnetismo geofísico — o peiote e outros alucinógenos naturais poderiam, nesse sentido, ser superiores aos alucinógenos artificialmente criados. Nessa linha de pesquisas, a medicina, a farmacologia e a antropologia poderiam se aperfeiçoar mutuamente por meio de fertilização cruzada.

Antidepressivos ISRS (inibidores seletivos de recaptação de serotonina)

Se um sinal elétrico desce pelo neurônio A, ele, ao chegar à extremidade do neurônio, faz com que o neurotransmissor seja liberado no espaço entre o neurônio A e o seguinte, o neurônio B. O espaço entre os dois neurônios é chamado de *sinapse*. O neurotransmissor se difunde através da sinapse, se prende aos receptores sobre o neurônio B e provoca uma descarga elétrica no neurônio B. Este, em seguida, libera neurotransmissor no espaço entre ele mesmo e o neurônio C, e assim por diante, *ad infinitum*. É assim que as células do cérebro se comunicam umas com as outras.

O neurônio A é o terminal pré-sináptico e o neurônio B é o terminal pós-sináptico. No nível do neurotransmissor, todos os inibidores seletivos da recaptação da serotonina têm os mesmos mecanismos de ação. Eles ocupam os receptores pré-sinápticos aos quais a serotonina se prende para ser reabsorvida no neurônio pré-sináptico. É assim que a sinapse se livra do neurotransmissor, preparando-se para a próxima descarga do neurônio A (outros mecanismos também ajudam a tornar ainda mais eficiente o processo de "limpar" a sinapse). Os antidepressivos ISRS ocupam e bloqueiam os receptores de recaptação pré-sinápticos, fazendo com que a serotonina permaneça na sinapse por mais tempo e tenha mais oportunidade de provocar uma descarga do neurônio B.

É cientificamente comprovado que os inibidores seletivos de recaptação de serotonina fazem isso no cérebro. A teoria segundo a qual a depressão envolve níveis baixos de serotonina deriva desse mecanismo de ação dos antidepressivos ISRS, mas há evidências abundantes de que os níveis de serotonina são normais em pessoas que sofrem de depressão e, portanto, a causa clínica da depressão não pode estar nos baixos níveis sinápticos de serotonina. A estimulação do sistema da serotonina obrigatoriamente afeta outros sistemas em uma série de um, dois, cinco ou dez passos, um dos quais envolve a anormalidade biológica da depressão. Há, provavelmente, numerosos e diferentes tipos biológicos de depressão.

Por várias razões, prevejo que se constatará que os antidepressivos inibidores seletivos de recaptação de serotonina aumentam a dissociação entre os diferentes componentes do campo mente-cérebro, e também aumentam a dissociação entre o cérebro e o corpo. Eles não curam nada, mas antes "emparedam" o problema para que ele não possa se intrometer e provocar a depressão. Esse prognóstico pode ser testado no *Whole Body EM Scanner*.

Por exemplo, eu submeto à verificação que um subconjunto de depressões envolve uma bola de raiva dissociada no abdome. Se uma depressão desse tipo responder a um antidepressivo inibidor seletivo de recaptação de serotonina, a bola de raiva persistirá, mas o tráfego eletromagnético entre o abdome e o cérebro será reduzido (a dissociação entre o cérebro e a raiva aumentará). Se uma pessoa com histórico de abuso sexual na infância e numerosos sintomas psicossomáticos responde a um antidepressivo ISRS, o tráfego eletromagnético entre o corpo e o cérebro igualmente se reduzirá, de maneira que os sintomas não possam se intrometer na consciência cortical. De maneira semelhante, um dos efeitos colaterais comuns dos antidepressivos inibidores seletivos de recaptação de serotonina é a perda de apetite sexual: isso envolve uma desconexão ou dissociação entre o campo eletromagnético do cérebro e o campo eletromagnético genital. No vocabulário do ramo do yoga conhecido como kundalini-yoga, a energia kundalini não consegue subir do chakra da raiz para o chakra coronário.

Um princípio geral da teoria dos campos de energia humanos é o prognóstico de que os medicamentos psiquiátricos têm efeito clínico sobre o estado mental por atuar tanto sobre o cérebro como sobre o corpo. Isso também pode ser verdade com relação a problemas não psiquiátricos, como a epilepsia e a enxaqueca. Estas são mais conhecidas como doenças "neurológicas" do que psiquiátricas, apenas em função de distinções artificiais feitas por médicos e não porque elas de fato pertençam a categorias separadas. O princípio geral aplica-se a qualquer condição física ou psiquiátrica na qual há uma mudança significativa no estado mental presente no âmago dessa condição: se a droga ajuda, é porque ela provavelmente atua tanto sobre o cérebro como sobre o corpo, e pode aumentar a dissociação entre o cérebro e o corpo.

Transtorno obsessivo-compulsivo

O transtorno obsessivo-compulsivo (TOC) envolve a intrusão de pensamentos indesejados e de compulsões na consciência. Os pensamentos são percebidos como *alheios ao ego*. Eles estão fora do ego, introduzem-se nele, são indesejados e, portanto, tratados com resistência. A resistência, no entanto, faz aumentar a ansiedade, que só pode ser aliviada realizando-se os atos compulsivos, sejam eles para conferir se as portas estão bem trancadas, lavar as mãos ou contar objetos.

O transtorno obsessivo-compulsivo, por definição, envolve obrigatoriamente uma dissociação estrutural da psique, seja qual for sua causa. Tem de haver um setor dissociado da psique que cria as obsessões e compulsões e a partir do qual elas se introduzem no eu, caso contrário não seriam alheias ao ego. Na psiquiatria convencional, o psiquiatra nunca pergunta de onde vêm as obsessões e compulsões, e jamais tenta falar ou raciocinar com elas, assim como não fala com as vozes da pessoa que apresenta esquizofrenia.

Porém, de acordo com meu método, que chamei de *Trauma Model Therapy*, falar com as vozes é uma técnica terapêutica central. As vozes são aspectos negados, não assumidos e dissociados do eu. São seus próprios sentimentos falando em voz alta com você no interior de sua própria cabeça, ou projetados para fora dela. Para ser bem-sucedido, o tratamento envolve apropriar-se desses aspectos negados e integrá-los, e não suprimi-los com medicamentos. Uma lógica semelhante se aplica ao transtorno obsessivo-compulsivo. Os impulsos têm um contexto, uma história e um significado, e precisam ser envolvidos no processo terapêutico, em vez de suprimidos.

Atualmente, tanto os tratamentos com drogas como as terapias comportamentais suprimem as vozes nos portadores de psicose e as obsessões e compulsões nos portadores de transtorno obsessivo-compulsivo. Se isso não for possível, ensina-se a pessoa a ignorá-las. As taxas de resposta a esse tipo de tratamento são baixas. Para mim, os tratamentos supressivos aumentam a dissociação ou desconexão entre os setores da psique dos quais provêm as vozes, as obsessões e as compulsões. O processo de supressão deveria ter uma assinatura eletromagnética oposta à das terapias direcionadas para a reconciliação e a integração.

O momento da morte e a projeção astral

O momento da morte é um evento eletromagnético. A luz do corpo se apaga e a alma vai embora. Se a alma continua a existir como uma entidade organizada, coerente e distinta após a separação do corpo, ou se ela simplesmente se dissolve no campo espaçotemporal, esse é, da perspectiva da nova ciência, um problema da física. Se a alma sobrevive depois da morte do corpo, ela precisa ter uma assinatura eletromagnética e deve haver uma maneira de detectá-la. Esse é outro exemplo de unificação entre ciência e religião no âmbito da ciência dos campos de energia humanos. Questões religiosas são, simultaneamente, questões de física, uma vez que o espírito é uma propriedade geral da matéria.

Em princípio, um doente em estado terminal poderia consentir em morrer sob o monitoramento de um *Whole Body EM Scanner*, ou os familiares poderiam dar esse consentimento para que se pudesse estudar uma pessoa que teve morte cerebral antes da remoção dos instrumentos que a mantinham viva. Seria então possível estudar eletrofisiologicamente o momento da morte. Estudos mais localizados poderiam ser realizados com o *Chakra Detection System* [Sistema de Detecção de Chakras] ou um dispositivo manual mais simples, e também se poderia estudar animais de laboratório sacrificados para outros projetos de pesquisas.

Qualquer estudo dessa natureza precisaria exigir que seus pesquisadores fossem inspecionados por comitês de ética. Teria de haver o consentimento expresso do paciente para as decisões quanto aos recursos para mantê-lo vivo, os cuidados paliativos e os procedimentos agressivos para salvar sua vida precisariam ser tomados por médicos não envolvidos na pesquisa. Uma pesquisa como essa pode parecer moralmente repreensível para muitas pessoas, independentemente de todas as medidas de segurança e proteções éticas que fossem tomadas. Uma alternativa seria obter o consentimento dos donos de animais que estão sendo sacrificados por veterinários; todo o processo da eutanásia poderia então ser registrado por um *Whole Body EM Scanner*.

Se a alma de fato sobrevive à morte física como uma entidade organizada e sensível, deveria lhe ser possível desligar-se temporariamente do corpo enquanto é monitorada pelo *scanner* eletromagnético. Isso poderia ser feito por pessoas que praticam a visão a distância e a projeção astral. Alternativamente, um *scanner* portátil poderia ser usado para estudar pessoas que estão sendo submetidas a cirurgias extremamente arriscadas ou a ressuscitações cardíacas – algumas pessoas dessas populações de alto risco relatariam posteriormente experiências fora do corpo ou de quase-morte.

O transtorno de despersonalização poderia envolver uma versão mais sutil de projeção astral, que, por sua vez, é uma modalidade mais sutil e reversível de morte. Pode ser que o campo energético de uma pessoa com transtorno de despersonalização exiba uma desconexão mensurável de parte do campo mente-corpo relativamente ao campo eletromagnético da parte principal do corpo. Pessoas com transtorno de despersonalização frequentemente relatam sentir-se como se estivessem fora do corpo; elas sentem como se seus corpos fossem irreais, possivelmente por causa de um bloqueio no fluxo de energia eletromagnética que se dirige de suas mentes conscientes para os seus chakras e outros centros do corpo.

Meditação, oração, boa forma física e obesidade

A meditação, a oração e outros estados psicofisiológicos relacionados poderiam ser estudados no *Whole Body EM Scanner*. Assim como a doença é, com frequência, um problema do corpo todo, o mesmo também ocorre com a boa forma física e com os estados de consciência especiais e saudáveis. Eu sei por experiência própria que uma corrida de oito mil metros limpa o corpo, reajusta o campo eletromagnético de todo o corpo e intensifica o grau de sincronia entre o campo eletromagnético do corpo e o campo eletromagnético da Terra. No âmbito da nova ciência, essas impressões subjetivas tornam-se previsões científicas testáveis.

A obesidade, do meu ponto de vista, é também uma condição eletromagnética do corpo todo, e não apenas um problema de excesso de tecido adiposo: é o contrário da boa forma física. Um ganho de 23 quilos resulta em um ajuste de todo o campo eletromagnético do corpo. Bloquear os chakras cardíaco e abdominal contra o ingresso de energia eletromagnética vinda do meio ambiente pode proporcionar, para alguns sobreviventes de experiências traumáticas, a ilusão de que isso os protegerá contra danos psicológicos. No impulso que leva à obesidade pode haver um componente psicológico de autodefesa, e isso poderia ser investigado com a ajuda do *Whole Body EM Scanner*. O impulso que nos leva à obesidade e o impulso que nos leva à nos desconectarmos do campo geomagnético da Terra podem ser formas relacionadas de ações que nos afastam do mundo e nos isolam dele. A obesidade, a dissociação entre cabeça e corpo e a desconexão relativamente ao campo magnético da Terra podem estar relacionadas entre si.

Resumo

Os exemplos acima indicam possíveis usos do *Whole Body EM Scanner*. Muitas outras aplicações são igualmente possíveis. Os exemplos dados ilustram os princípios gerais e a lógica desse aspecto da nova ciência. Deveria ser possível desenvolver um *Whole Body EM Scanner* que pudesse ser utilizado fora de um compartimento eletromagneticamente isolado. Um equipamento desse tipo poderia escanear a distância o campo eletromagnético do corpo todo. Além disso, minha solicitação de patente inclui versões do *scanner* que vêm acompanhadas de capacete, blusa e dispositivo manual, todos com possíveis diferentes utilidades.

Considere, por exemplo, o telefone celular e a tecnologia de rastreamento GPS. O trabalho original de Alexander Graham Bell possibilitou que os sinais do telefone celular pudessem ser retransmitidos via satélite. Se os sinais do telefone celular podem ser captados por satélites e se o aparelho de rastreamento de seu carro pode informar onde você está e como chegar a seu destino, então também é possível a um *scanner* eletromagnético no espaço detectar a assinatura eletromagnética de uma determinada pessoa na Terra.

A versão satélite do *Whole Body EM Scanner* poderia ser usada para rastrear criminosos, terroristas, crianças desaparecidas, caminhantes perdidos e qualquer pessoa que precise ser localizada por forças amistosas ou hostis. No nível da polícia local, o *scanner* poderia, em princípio, ser instalado na parte inferior de um helicóptero. Os únicos empecilhos a tais aplicações da nova ciência são problemas de engenharia elétrica, como ruídos que se sobrepõem a sinais, atenuação dos sinais e limitações da sensibilidade do detector. Além disso, para que essas aplicações do *Whole Body EM Scanner* sejam possíveis, é preciso que as assinaturas eletromagnéticas das pessoas sejam tão diferentes umas das outras quanto seus DNAs e seus padrões de retina e de voz e suas impressões digitais.

A assinatura eletromagnética de uma pessoa pode ser gerada por seu DNA e seu desenvolvimento fetal pode envolver um modelo ou "planta" eletromagnética gerada pelo óvulo fertilizado. Ou seja, os controles do crescimento fetal podem ser eletromagnéticos. Nesse sentido, o desenvolvimento fetal pode ser uma versão extrema da regeneração de membros pelas salamandras. Quando esse processo dá errado, podem surgir quistos congênitos de ovários, leucemia ou linfoma, todos eles problemas envolvendo a perda do controle normal sobre a diferenciação celular. Os quistos congênitos contêm um emaranhado caótico de tecidos subcutâneos, cabelos e dentes criados quando uma célula não fertilizada do ovário escapa, por assim dizer, ao controle e tenta se tornar um feto.

Quando uma salamandra regenera um membro, as células do coto desdiferenciam-se de volta até suas células-tronco primitivas sob a influência do campo eletromagnético fantasma e depois voltam a se diferenciar em um membro normal. Essa é uma versão reduzida de um óvulo fertilizado que se desdobra até se tornar um corpo humano completo. A regeneração de um membro pela salamandra e o desenvolvimento normal de um feto são, do meu ponto de vista, versões eletromagnéticas organizadas da formação de quistos congênitos.

Capítulo 9

TERAPIAS DO CAMPO ENERGÉTICO

Todas as formas de "medicina energética" podem ser estudadas no âmbito da ciência dos campos de energia humanos. O campo eletromagnético gerado pelas mãos de um agente de cura devem ter propriedades eletromagnéticas diferentes do campo gerado pelas mãos de uma pessoa que não é agente de cura, e a interação do campo gerado pelas mãos do agente de cura com o campo produzido pelo corpo do paciente pode ser filmada pelo *Whole Body EM Scanner*, que é, basicamente, uma câmera de vídeo eletromagnética.

Como foi mencionado no Capítulo 3, o *Whole Body EM Scanner* é uma faca de dois gumes para os que acreditam na cura pelas mãos e na medicina energética: ele demonstrará que alguns agentes de cura realmente estão fazendo algo; e também demonstrará que outros não estão fazendo nada. Um argumento em favor do segundo grupo será a alegação de que a energia com que eles estão lidando é demasiadamente sutil para ser detectada pelo aparelho. Em alguns casos, esse argumento será correto e em outros será equivocado. Uma conclusão final terá de aguardar o desenvolvimento de uma teoria mais avançada e de instrumentos mais aperfeiçoados.

As seguintes terapias que trabalham com o campo energético ilustram uma série de aplicações do *Whole Body EM Scanner* no âmbito da ciência dos campos de energia humanos.

Leitura da aura humana

A aura humana é a extensão do campo energético que se estende para fora do corpo. Como o raio emitido pelo olho humano, ela é um "fenômeno paranormal", que ocorre fora do alcance da ciência e envolve algum tipo de força cientificamente desconhecida – até que alguém proponha que a aura humana é apenas uma extensão no espaço do campo eletromagnético do corpo. Então, estudar a aura humana, por exemplo com a ajuda de um *Whole Body EM Scanner*, será uma atividade tão científica quanto tirar um eletrocardiograma ou um eletroencefalograma.

A aura humana existe e se estende para além da pele. A aura interage com a física do mundo exterior, conforme foi comprovado pelo *Human Eyebeam Detection System*. A questão que permanece sem resposta é esta: "A interação da aura humana com o mundo exterior tem alguma significação biológica, psicológica, espiritual ou de alguma outra natureza?" Acredito que o campo eletromagnético humano dentro e fora do corpo participa de muitas interações significativas com a biosfera e o campo geomagnético da Terra. A ciência dos campos de energia humanos transforma essa crença em um conjunto específico de hipóteses científicas verificáveis.

Se algumas pessoas conseguem de fato ver auras, então a cor que elas percebem na aura deveria ter uma relação coerente com sua amplitude, frequência ou outras propriedades da aura, que é o campo eletromagnético do corpo e externo a ele. Não acreditar na aura humana – a postura adotada pelos céticos — é o mesmo que não acreditar no ECG. Quando a aura e o campo eletromagnético do corpo tiverem se tornado a mesma coisa, o ceticismo desaparecerá e o seu estudo científico poderá começar.

Se a experiência de ver a aura não é um fenômeno meramente subjetivo ou aleatório, então tem de haver algum padrão coerente na visão das diferentes pessoas que a veem. A relação mais simples seria uma correlação 1:1 entre a cor percebida pelo sujeito que a vê e a frequência dominante da aura da pessoa cuja aura está sendo examinada. Os comprimentos de onda aproximados da luz visível em nanômetros são os seguintes:

- Violeta 380-450
- Azul 450-495
- Verde 495-570
- Amarelo 570-590
- Alaranjado 590-620
- Vermelho 620-750

Como a frequência é o inverso do comprimento de onda, a luz vermelha tem a mais baixa frequência e a violeta a mais alta. Uma radiação eletromagnética com frequência logo abaixo do vermelho é chamada de infravermelha; e uma radiação com frequência logo acima do violeta é chamada de ultravioleta (UV), que é o componente do espectro que provoca queimaduras de sol.

As pessoas que leem a aura não devem ser capazes de ver os componentes da aura que brilham além da porção visível do espectro. No entanto, é possível que elas os vejam por meio de algum mecanismo "intuitivo" desconhecido e, por isso, as correlações entre percepções de cor e comprimentos de ondas fora do espectro visível deveriam ser investigadas, dentro de limites razoáveis.

Uma pessoa com raiva poderia, por exemplo, gerar uma aura preta e vermelha. Isso poderia ser estudado colocando-se uma pessoa atrás de uma tela com sua aura estendendo-se para ambos os lados. O leitor de auras veria a aura se estender para além de cada uma das extremidades da tela, sem poder ver a pessoa que a irradia. Há, no entanto, uma contradição aqui: cientificamente, "preto" significa ausência de luz e seria, portanto, impossível ver uma aura preta. Mas o "preto", conforme percebido por uma pessoa capaz de ler auras, pode, contudo, se correlacionar com uma propriedade inerente ao campo eletromagnético.

O simples fato de um leitor de auras ver uma aura colorida não quer dizer, necessariamente, que seus olhos estejam vendo a aura. Por exemplo, a aura da pessoa que está sendo visualizada poderia ser recebida pelo gânglio celíaco (chakra do plexo solar), transduzida em um sinal nervoso, transmitida ao cérebro e processada no córtex visual para gerar uma sensação de cor. Com todos esses passos do processo, a frequência da aura poderia estar desacoplada da frequência da cor vista pela pessoa que está lendo a aura. Nesse cenário, essa pessoa poderia ser testada quanto à presença ou não de uma pessoa atrás da tela. Poderia ser possível detectar confiavelmente uma aura, mas a cor vista seria aleatória.

Estudos mais específicos poderiam envolver a leitura da aura com o propósito de detectar problemas de saúde. Em tais estudos, o clarividente que faz a leitura da aura não teria conhecimento do diagnóstico. A questão consistiria então em determinar se o leitor de auras seria tão eficiente quanto o *Whole Body EM Scanner*. Em um nível prático, os médicos poderão utilizar o *scanner* para realizar diagnósticos, porque ele se comprovará mais confiável e preciso, e mais facilmente disponível do que um leitor de auras.

Toque terapêutico ou imposição das mãos

O toque terapêutico envolve dois componentes: sentir como está o campo energético do paciente e afetá-lo transmitindo-lhe energia. Os praticantes do toque terapêutico são clarividentes, ou leitores, de aura que utilizam as mãos, em vez dos olhos, como equipamento escaneador. Se o toque terapêutico é verdadeiro, a energia envolvida precisa ser eletromagnética e a prática desse toque deve ser tão pouco mística quanto a radioterapia utilizada para o tratamento de câncer.

Esta última irradia energia eletromagnética tóxica, como os raios gama, sobre o corpo do paciente. Assim como a quimioterapia, a radiação prejudica mais as células cancerígenas, por se dividirem mais rapidamente, do que as do restante do corpo. Por serem mais ativas, seu DNA, enzimas e processos químicos se tornam mais vulneráveis aos danos causados pelo uso da radiação ou de drogas. O motivo pelo qual a quimioterapia, assim como a radioterapia, provocam a perda de cabelos está no fato de as células capilares se dividirem com mais rapidez do que a maioria das outras células do corpo.

Sabemos, então, como verdade científica que a radiação eletromagnética invisível pode exercer efeitos tóxicos profundos sobre o corpo humano. Por exemplo, antes de se submeter a um transplante de medula óssea, todo o sistema imunológico dessa pessoa é destruído pela radiação, que é aplicada sobre todo o seu corpo. Há também amplitudes e frequências de radiação eletromagnética que promovem a saúde e a cura. Um exemplo consiste em expor ossos fraturados a campos eletromagnéticos para promover a cura em casos em que não se conseguiu fazer com que esses ossos voltassem a se unir.

A interação das mãos do agente de cura com o campo energético do paciente pode ser estudada com a ajuda do *Whole Body EM Scanner*, e seus efeitos podem ser rastreados para se determinar se poderiam exercer qualquer influência significativa e duradoura sobre o estado eletromagnético dessa pessoa. Um efeito imediato poderia ou não resultar numa mudança funcional duradoura. Isso também se aplica em casos de medicamentos ou de qualquer outra forma de tratamento.

Reequilíbrio energético

Muitas formas de medicina energética envolvem o reequilíbrio dos chakras, dos meridianos *chi* e de outros sistemas energéticos da pessoa, como vimos em capítulos anteriores. Algumas dessas propostas terapêuticas podem ser verdadeiras e outras falsas. Uma vez que se tenha chegado a um consenso quanto às definições do que é "equilíbrio" e "desequilíbrio", todas as terapias de reequilíbrio podem ser testadas no *Whole Body EM Scanner*. O mais provável é que "equilíbrio" e "desequilíbrio" sejam as extremidades opostas de um *continuum*, sem nenhum ponto de destaque intermediário.

Acupuntura

Quando estudei medicina (na Universidade de Alberta, de 1977 a 1981), a acupuntura era considerada ineficaz e não científica. Nenhum doutor da faculdade de medicina jamais encaminhava um paciente para fazer acupuntura, ou, se o fizesse, não faria nenhum alarde. Porém, desde essa época, passou-se a acumular um número considerável de evidências de que a acupuntura produz resultados efetivos, e que é mais do que um mero efeito placebo. No entanto, um obstáculo à aceitação da acupuntura pela medicina ocidental tem sido os seus fundamentos teóricos — os meridianos chi e a energia chi —, considerados "não científicos".

Mas esse obstáculo desaparece quando o dualismo e o reducionismo são rejeitados, quando o espírito é considerado uma propriedade geral da matéria e quando a energia chi e o campo eletromagnético do corpo são reconhecidos como sendo a mesma coisa. O movimento da energia eletromagnética ao longo das dos tecidos e de outras vias do corpo pode ser demonstrado no *Whole Body EM Scanner*. Prevejo que será constatada presença de um extenso tráfego eletromagnético fora do sistema nervoso, e que ele será guiado pelos compartimentos fasciais (ou fáscias) e por outras estruturas que atualmente se considera dotadas apenas de funções mecânicas ou anatômicas.

Pelo que parece, o mapeamento dos meridianos chi e dos pontos específicos da acupuntura foi empreendido há milhares de anos e atualmente parece haver uma desconexão entre os mapas e a prática atuais e o conhecimento original que levou aos mapas. Por terem se passado muitas gerações envolvidas, ocorreu provavelmente algum desvio no sistema, no qual acabou sendo introduzido algum grau de ruídos e de erros ao longo dos séculos. Por isso, eu prognostico que nem toda a teoria envolvendo a energia chi está correta no nível dos detalhes, embora, no nível geral, ela continue válida e verificável.

Se for possível demonstrar que a acupuntura afeta a transmissão eletromagnética no corpo de uma maneira consistente e replicável, então inúmeras outras variáveis poderão ser introduzidas nos experimentos. Por exemplo, qual seria o efeito de medicamentos antidepressivos sobre o fluxo eletromagnético e qual seria a interação entre os antidepressivos e a acupuntura? Talvez os antidepressivos prejudiquem e enfraqueçam o fluxo eletromagnético e bloqueiem parcialmente o efeito terapêutico da acupuntura. Por outro lado, talvez a acupuntura possa anular parcialmente os efeitos colaterais eletromagnéticos dos antidepressivos.

Seria a acupuntura mais eficaz do que a massagem baseada na teoria do chi, ou seria menos eficaz? E a prática de tai chi poderia favorecer a resposta à acupuntura? Será que os efeitos da acupuntura são menores dentro da nuvem eletromagnética urbana do que em uma região afastada cuja assinatura eletromagnética está mais próxima daquela da China Antiga? Em outras palavras, parte do ceticismo ocidental com respeito à acupuntura teria como base a obstrução de seus efeitos pelos campos eletromagnéticos das cidades ocidentais? A partir dessa linha de raciocínio, seria possível deduzir que a acupuntura poderia funcionar melhor em um espaço eletromagneticamente isolado.

Massagem

A massagem produz uma sensação muito boa. Ela deve, por isso, reajustar o campo eletromagnético do corpo. Entre as perguntas a serem respondidas com a ajuda do *Whole Body EM Scanner* temos as seguintes: Quanto tempo dura o efeito? Pode a massagem atuar sobre os estados patológicos? Pode ela afetar outros sistemas somáticos além do musculoesquelético? Ela exerce algum efeito sobre a aura humana? Se ela melhora a saúde dessa aura, então como isso afeta a interação da aura do indivíduo com rochas, árvores e outras pessoas?

Quiropráticos e agentes de cura relacionados

Um motivo pelo qual os quiropráticos têm dificuldade para serem aceitos pela medicina ocidental está no fato de que eles alegam que a manipulação da coluna espinhal exerce um efeito terapêutico sobre doenças como a diabetes. Não existe na medicina ocidental nenhum meio ou mecanismo que possibilite a ocorrência de tal efeito. Os quiropráticos têm, portanto, o mesmo problema dos acupunturistas – sua teoria não faz parte da ciência ocidental. Da mesma maneira que a acupuntura, qualquer efeito real da manipulação quiroprática sobre outros sistemas do corpo humano poderia ser estudado com a ajuda do *Whole Body EM Scanner*.

Em geral, o sistema musculoesquelético está envolvido no campo eletromagnético do corpo todo de uma maneira intrincada. Ele é muito mais do que uma estrutura mecânica de sustentação e de movimento do corpo. A ciência dos campos de energia humanos tem potencial para integrar a medicina quiroprática com a medicina convencional do Ocidente, porque fornece mecanismos eletromagnéticos para explicar os efeitos que o ajuste da coluna espinhal exerce sobre o restante do corpo e por prover instrumentos para a sua medição.

Yoga

O yoga é outro campo rico para ser estudado com a ajuda do *Whole Body EM Scanner*. De especial interesse são as diferenças entre as diferentes modalidades e ramos do yoga. Eu tenho um interesse particular pelo kundalini-yoga, porque ele trabalha com os chakras e com o movimento da energia kundalini do chakra da raiz para o chakra coronário, o que torna essa área particularmente fértil para ser estudada no âmbito da ciência dos campos de energia humanos.

Treinamento para a Maratona

Eu menciono o treinamento para essa modalidade atlética especialmente porque participei de uma meia-maratona em 1981 e espero vir a participar de outra no futuro. Eu sei por experiência própria que o treinamento para uma corrida de longa distância causa uma profunda reorganização, consolidação e integração do campo eletromagnético de todo o corpo. Também estimula a integração do campo eletromagnético do corpo com o campo geomagnético da Terra. A base experiencial "subjetiva" dessa afirmação é descrita em meu poema "The Snow Runner", que faz parte da coletânea intitulada *Adeocarcinoma and Other Poems*.

Meditação

Acredito que a meditação é outra prática capaz de exercer um profundo impacto sobre o campo eletromagnético do corpo. Praticantes avançados serão especialmente úteis em experimentos porque conseguem controlar suas entradas em (e suas saídas de) diferentes estados fisiológicos, que também devem corresponder a diferentes estados eletromagnéticos, uma vez que a biologia se reduz à química e essa se reduz à física. Por exemplo, um praticante avançado de yoga consegue reduzir seu ritmo cardíaco a trinta batimentos por minuto. Essa desaceleração dos batimentos cardíacos é um evento eletromagnético que ocorre no nodo sinoatrial do coração.

Uma pessoa que se deixa hipnotizar facilmente pode ter um desempenho igual ao de um yogue experiente, mas em menor grau. Por exemplo, pessoas altamente hipnotizáveis podem provocar uma diferença de 5 graus Celsius na temperatura entre suas mãos ao imaginarem que uma delas está imersa em uma tina de água gelada. De maneira semelhante, uma pessoa altamente hipnotizável consegue alucinar um obstáculo entre ela e uma fonte de luz, resultando em uma redução mensurável no sinal visual enviado ao longo do sistema visual de seu cérebro.

Resumo

Yoga, massagem, exercícios para obter boa forma física, meditação, acupuntura e hipnose são práticas que podem ter suas semelhanças e diferenças examinadas pela ciência dos campos de energia humanos. Os exemplos citados neste capítulo ilustram a lógica e o alcance dessa série de aplicações, mas há muitas outras para serem exploradas. Todos esses experimentos demonstram a capacidade de auto-organização do campo eletromagnético humano, bem como a interação da consciência com o mundo material: ao receber uma ordem, esse campo pode alterar suas propriedades de maneira definida e reproduzível. O único *input* necessário para produzir a alteração é um mero sinal de áudio ("siga" ou "agora") e o mesmo sinal pode produzir inúmeros diferentes estados dependendo dos arranjos prévios e das *escolhas* feitas pelo indivíduo que está sendo escaneado.

A acupuntura é de interesse particular para a ciência dos campos de energia humanos pelo fato de se basear em uma teoria eletromagnética, embora seu vocabulário seja "espiritual". O estudo da acupuntura pode demonstrar potencialmente que as antigas formas de medicina energética baseavam-se na realidade objetiva, mas careciam da teoria científica e da instrumentação do século XXI. Essas descobertas ajudariam a preencher a lacuna entre o que é objetivo e o que é subjetivo na filosofia e na ciência do Ocidente.

Um dos objetivos da ciência dos campos de energia humanos consiste em desenvolver a instrumentação; um segundo em desenvolver a terapêutica; e um terceiro em transformar muitas crenças "subjetivas" em fatos objetivos, que foram antes rejeitados pela ciência reducionista, a qual só era científica com relação a uma faixa limitada de fenômenos.

Como é típico das mudanças de paradigma em qualquer campo de estudos, a ciência dos campos de energia humanos acomoda todas as observações e fatos na medicina ocidental convencional, mas organiza toda uma gama de observações, prognósticos, experimentos e aplicações rejeitados pelo paradigma que ela substitui. Comprovar a realidade objetiva da acupuntura e introduzi-la na medicina ocidental é um exemplo dessa mudança de paradigma.

Capítulo **10**

OS CAMPOS DE ENERGIA HUMANOS E A ANTROPOLOGIA

A ciência dos campos de energia humanos tem uma ampla gama de aplicações no campo da antropologia, podendo inclusive contribuir para a união da antropologia cultural com a antropologia física, uma vez que muitas crenças e práticas de povos indígenas ao redor do mundo têm suas raízes reais na física eletromagnética. Os aborígines australianos do século XVIII sabiam muito mais sobre campos de energia do que sabem os norte-americanos urbanos e instruídos do início do século XXI. O impacto da civilização industrial do Ocidente sobre as culturas indígenas resultou no extermínio de idiomas, religiões, práticas rituais, padrões de caça e sintonia com o campo geomagnético da Terra.

O homem urbano da era industrial está literalmente desconectado da natureza no nível eletromagnético. Essa é uma dissociação cultural que eu descrevi no meu artigo de 1991 intitulado "The Dissociated Executive Self and the Cultural Dissociation Barrier". Esse artigo e este capítulo constituem as bases de outro livro a ser escrito sobre o papel da dissociação na história da civilização ocidental.

Quando for provado que o *Human Eyebeam Detection System* funciona de modo confiável, então uma das proposições fundamentais dessa ciência também terá sido comprovada: o espírito humano (mente/aura/campo eletromagnético) se estende para fora do corpo físico e interage com o mundo exterior de maneira mensurável. Essa interação exerce um impacto e tem uma função significativa tanto nos níveis espiritual e cultural como nos da sobrevivência e da evolução.

A realidade fisiológica essencial subjacente a muitas práticas e crenças religiosas tradicionais foi negligenciada pela ciência moderna, em parte pelo fato de essa realidade ter sido envolta em superstição. É um exemplo em que o bebê foi jogado fora junto com a água suja. Isso é verdadeiro para o raio emitido pelo olho humano — as superstições em torno do mau-olhado não provam a inexistência de *extromissão*. Na minha concepção, a atitude científica correta consiste em considerar as crenças tradicionais como sinais e pistas sobre a natureza da realidade. Ou, como poderíamos dizer, temos necessidade de uma forma de engenharia reversa, que começasse com a crença e fosse retrocedendo, remontando até a realidade subjacente.

Uma ampla gama de crenças e práticas aborígines pode ser estudada no âmbito da ciência dos campos de energia humanos. Se é possível acender a luz apenas fixando o olhar no interruptor, quais são então os limites desse tipo de interações? Essa é uma questão científica, pertencente ao campo da física.

Rituais de fertilidade

A antropologia, a história das religiões e campos relacionadas documentam numerosos e diferentes tipos e formas de rituais de fertilidade se usamos essa expressão em um sentido amplo. A fertilidade do corpo humano feminino, de um campo de plantações, do céu (para produzir chuva) e dos animais de caça são, todos eles, tipos de fertilidade que podem ser estudados no âmbito dessa nova ciência.

Por exemplo, se o raio emitido pelo olho humano pode ser detectado por uma chave de liga-desliga especial, ou por alguém que sente estar sendo observado, então é cientificamente possível que uma semente de trigo sob a terra seja capaz de detectar o campo eletromagnético nela focalizado por um xamã ou um grupo de pagãos celebrando a primavera em Maio na Inglaterra do século XIII. É cientificamente possível que isso poderia resultar em uma germinação mais rápida e/ou na germinação de uma maior percentagem de sementes. Esse efeito poderia ser estudado sob condições controladas fazendo-se uso dos campos eletromagnéticos gerados por seres humanos e por máquinas. Calibragens apropriadas e detectores de campos eletromagnéticos poderiam ser colocados na mesma profundidade do solo em que também estão enterradas as sementes de trigo, ou então os experimentos poderiam ser realizados sob condições hidropônicas para se poder observar melhor a germinação. Esse ramo da ciência poderia ter aplicações comerciais na área da agricultura.

O efeito de vários rituais de fertilidade e práticas de medicina energética sobre as taxas de gravidez e de fertilidade em casais que estão se tratando para vencer problemas de infertilidade poderia ser rastreado colocando-se ambos os membros do casal no *Whole Body EM Scanner*. Em geral, o sinal eletromagnético que regressa do alvo de qualquer ritual de fertilidade precisaria ser rastreado e entendido.

Telepatia mental

Uma razão pela qual a ciência do Ocidente rejeita a telepatia mental está no fato de que essa carece de um mecanismo aceitável. Eu não vejo nenhuma diferença entre a telepatia mental e os telefones celulares. O corpo humano, inclusive o cérebro e o plexo solar, emitem, inquestionavelmente, complexos sinais eletromagnéticos digitalizados no meio ambiente. Se um raio laser pode incidir na Lua e ser refletido pelo solo lunar e se podemos ver estrelas que morreram há bilhões de anos, podemos afirmar com segurança que o sinal eletromagnético humano poderia percorrer distâncias consideráveis em nosso planeta.

As questões que permanecem sem respostas são estas: "Será que o sinal eletromagnético contém *informações*? Será que essas informações veiculam um conteúdo significativo para a sobrevivência? Será que o plexo solar e o cérebro recebem e codificam essas informações? Será que essas informações podem ser processadas de maneira a afetar as decisões, as percepções e o comportamento, mesmo que seja de maneira subliminar?

Todas essas questões são empíricas. Elas se referem à física aplicada, à engenharia elétrica e à medicina eletromagnética. Nós ligamos a televisão por controle remoto, abrimos a porta da garagem sem sairmos do carro, usamos *laser pointers* quando proferimos palestras e realizamos incontáveis tarefas que, em princípio, são formas de telepatia mental entre objetos inanimados. A questão é saber se você pode fazer uma chamada de telefone celular com o comando do seu cérebro.

A resposta é: você pode. Você pode ligar o interruptor que acende uma lâmpada simplesmente fixando nele o seu olhar e, portanto, ativar os neurônios de outra pessoa por meio de um comando remoto. Mas será que esse efeito pode ser isolado do ruído eletromagnético de fundo e processado de maneira a ser registrado conscientemente? O *Human Eyebeam Detection System* também é capaz de demonstrar a telecinesia – quando você fixa o olhar em um interruptor, sua mente faz os elétrons se movimentarem, e assim ele pode ser ligado ou desligado.

A telecinesia é uma realidade no nível da mecânica quântica. Ela ocorre toda vez que você olha para alguma coisa. A questão é saber se o sinal telecinético pode ser amplificado pelo transmissor ou transduzido pelo receptor para que ocorra um efeito macroscópico. Movimentar elétrons com a mente é uma ocorrência cotidiana e não é um fato mais místico do que abrir o portão da garagem com um dispositivo de controle remoto. Amplificar esse sinal de maneira a obtermos aplicações práticas confiáveis no nível macroscópico é um problema de engenharia, não um problema teórico.

Clarividência e precognição

Como no caso da telepatia mental, a clarividência é cientificamente possível. Se satélites de espionagem são capazes de ler placas de carros a partir do espaço cósmico e se nós podemos escolher assistir a canais de televisão via satélite em nossas salas de estar, então não há nenhuma razão, em princípio, para que a clarividência não seja possível. Se uma informação sobre um lugar distante é transmitida de forma digitalizada por observadores ao vivo, então o receptor remoto tem de ser capaz de apreendê-la, processá-la e convertê-la em imagens que façam sentido. Se as estações de televisão a cabo conseguem fazer isso, é possível que o corpo humano também consiga.

A precognição é algo completamente diferente. Para que a precognição (a visão do futuro) seja possível, a física do tempo precisa ser radicalmente diferente do senso comum e dos modelos atuais que vigoram na física. A ciência dos campos de energia humanos, em sua forma atual, não tem absolutamente como explicar esse fenômeno. Eu o menciono para ilustrar como a ciência funciona: ela postula mecanismos que estão dentro do alcance da física e da engenharia elétrica atuais e, em seguida, faz previsões específicas sobre como testar a teoria. Por enquanto, não existe nenhum mecanismo capaz de explicar a precognição.

O poder da prece

A partir de uma perspectiva eletromagnética, a prece envolve uma focalização do campo eletromagnético da pessoa que está rezando, e também uma abertura desse campo a fontes de energia fora dele. Estes são os atributos essenciais inerentes a quem ora: humildade, receptividade, vulnerabilidade e foco. As propriedades eletromagnéticas da oração, seja ela individual ou grupal, podem ser estudadas no âmbito da ciência dos campos de energia humanos.

Rabdomantes que prospectam a presença de água sob o solo tentaram mapear as linhas de Ley e as correntes de água subterrâneas e alguns tentaram estabelecer correlações entre essas linhas e as localizações de importantes catedrais, igrejas, monumentos de pedra e outros locais de culto da Grã-Bretanha. A ideia é a de que os antigos arquitetos colocavam uma fonte, uma parede de igreja, uma berma ritualista ou um círculo de pedras em um determinado lugar por causa da arquitetura local do campo geomagnético. Essas coisas não eram aleatórias.

Tais alegações não podem ser investigadas cientificamente com a rabdomancia da presença de água subterrânea porque há espaço demais para o movimento inconsciente da varinha pelo rabdomante e nenhum mecanismo que explique a rabdomancia. O mesmo não se aplica à medição de campos eletromagnéticos locais, a qual pode ser feita com grande precisão. Eu prognostico que o campo eletromagnético presente no interior, digamos, da Catedral de Milão seja semelhante ao campo eletromagnético criado pela prece grupal, e mesmo quando ninguém no grupo está orando. Os campos eletromagnéticos das orações das inúmeras pessoas que estiveram nessa catedral ficaram impressos no edifício e são reforçados a cada dia pelos novos visitantes.

Alguns lugares da Terra têm um campo geomagnético local que é semelhante em amplitude e frequência ao campo criado pela prece. É por isso que alguns lugares são sagrados. Quando os seres humanos entram em tais lugares sob um estado de ânimo favorável à devoção, eles amplificam o campo dentro de si mesmos e no espaço local exterior a eles mesmos. Dessa maneira, ocorre um laço de realimentação sagrada positiva.

Os benefícios para a saúde desses campos sagrados podem ser estudados pela ciência dos campos de energia humanos; o poder de cura da oração é cientificamente possível no âmbito da medicina eletromagnética. Os campos eletromagnéticos também podem ser transformados em armas, militarizados e usados com finalidades destrutivas. Essa área da engenharia é chamada de *armas não letais* e é financiada com pesados investimentos vindos de fontes militares e de inteligência internacionais.

Detecção remota de animais por caçadores

Eu me lembro de ter assistido a um filme sobre os bosquímanos do Deserto de Kalahari atirando ossos no chão para determinar a direção que deveriam seguir para encontrar os animais de caça. Para a mente ocidental, isso é pura superstição: não é possível que os ossos saibam onde estão os animais de caça e em seguida informem isso ao xamã. Eu concordo com esse ponto de vista cético. Acho que os ossos são apenas um dispositivo para focalizar a visão remota do xamã. Os próprios ossos não fazem realmente nada.

Os bosquímanos partem em seguida em uma determinada direção e chegam diretamente onde estão as gazelas ou qualquer outro animal que estejam procurando, depois de percorrerem quinze quilômetros no deserto. A distância é grande demais para que os sentidos de audição, olfato e visão consigam operar. É possível que o processo seja aleatório e às vezes seja bem-sucedido, às vezes não. No entanto, se é esse o caso, como essa atividade pode sobreviver por milênios sob o sol implacável do deserto de Kalahari? Mas também poderia ocorrer que esse seja apenas um ritual social e, na verdade, os caçadores conhecem muito bem a geografia e os hábitos dos animais de caça.

Suponhamos que o ritual resulte efetivamente na obtenção de informações reais pelo xamã. No âmbito da física, há somente uma maneira de isso acontecer. A gazela teria de emitir uma assinatura eletromagnética e o xamã precisaria ser capaz de recebê-la, processá-la e registrar a direção da qual ela veio. Isso apresenta um problema: como pode a direção ser determinada sem triangulação? Talvez a direção inicial seja aproximada e os caçadores vão estreitando a faixa em torno da direção que seguem à medida que se aproximam. De qualquer maneira que esse processo funcione nos detalhes, se o xamã consegue detectar o sinal, então também é possível construir um *scanner* que faça a mesma coisa.

Resumo

Uma vez que a lógica geral de uma subdivisão da ciência tenha sido esboçada, não há no momento necessidade alguma de preencher todos os detalhes. Por isso, dou este capítulo por concluído.

Capítulo 11

O CONHECIMENTO DO PODER DO ESPÍRITO: ORIGENS EXPERIMENTAIS DA NOVA CIÊNCIA

As origens experimentais da ciência dos campos de energia humanos foram descritas em meus livros *Northern Studies, Songs for Two Children: On Dissociation and Human Energy Fields, Northern Canada, Literary and Anthropological Studies, Diary of An Intern* e *Spirit Power Drawings: The Foundation of a New Science*. Descrições de algumas de minhas experiências ainda não foram escritas e algumas passagens de meus livros médicos, como *The Trauma Model* e *Schizophrenia* também têm ligações com a nova ciência. Aqui, vou apenas apresentar um resumo rápido do estudo de meus próprios estados de consciência, que realizei principalmente na Inglaterra, na província canadense de Manitoba e no Ártico canadense.

Aos 17 anos, quando eu morava em Londres, empenhei-me no estudo de meus próprios estados de consciência. Eu havia aprendido que o estado convencional de consciência na civilização ocidental tem apenas um âmbito restrito e é separado de uma enorme gama de experiências humanas. No mundo ocidental, nós suprimimos e negamos muitas experiências por serem místicas ou espirituais demais para se ajustarem na agenda utilitarista de nossa época. Eu decidi cultivar e explorar tais experiências. Primeiro eu fiz isso passando horas sem fim em áreas verdes ao redor de Londres, como Hampstead Heath e depois nos bosques de Somerset.

Tomei consciência e procurei me sintonizar com os campos de energia geomagnética no local e fora das grandes cidades. Eu *sentia* o espírito de uma árvore, de uma rocha ou de um lago. Eu não acreditava que aquela rocha ou árvore tivesse pensamentos humanos, nem projetava atributos humanos na árvore. A árvore era uma árvore. Mas assim como eu podia perceber a sombra da árvore com meus olhos e minha pele, e sentir o seu frescor quando estava debaixo dela, eu também podia sentir diretamente o campo de energia da árvore.

Descobri que podia sintonizar meu estado de consciência com um conjunto de rochas, uma árvore, uma praia ou com o céu noturno. Ao fazer isso, eu me sentia mais vivo, mais enraizado em mim mesmo, mais sensual e mais conectado à Terra. Aquilo era uma experiência, não uma teoria. Eu saía de minha cabeça e entrava em meu corpo.

Quando me mudei para Norman Wells, no Ártico canadense, em 1970, notei que a população nativa experimentava muitíssimo mais esse estado de consciência do que nós brancos. É um saber e um reconhecimento imediato, arraigado, físico, sensual da outra pessoa, dos animais de caça ou dos bosques. Não tem nada a ver com teorias, é uma conectividade sensorial imediata. Eu poderia comparar isso com o trabalho de uma equipe esportiva. Aprender a entrar em sintonia com um companheiro de equipe não envolve memorizar nem revisar conscientemente seus movimentos usuais. Quando o atleta está "em alfa" ("*in the zone*"), a informação é processada no nível da memória processual (o nível inconsciente). A tarefa da mente consciente é flutuar livremente, monitorar e permanecer sintonizada, mas não interferir.

Um atleta fala em "memória dos músculos". A memória pode não estar literalmente nos músculos, mas para ter um desempenho ideal, uma equipe precisa de uma outra modalidade de intuição, conectividade e presença física. Ninguém se sobressai em algum esporte apenas pelo uso do intelecto, apesar de ele também ter e participar. Não é possível simplesmente praticar um esporte mentalmente, na cabeça. É por isso que os atletas podem descrever um membro da equipe dizendo que ele está "inconsciente" quando desempenha particularmente bem.

Esses estudos que fiz sobre meus próprios estados de consciência constituem o passo 1 da Tabela 2.1. A partir desse começo, que envolveu uma década de estudos intensivos e de leituras de textos de antropologia, história e filosofia, eu passei então para os seis passos seguintes. O autor que mais me ajudou durante essa fase do meu desenvolvimento foi, de longe, D. H. Lawrence. Ele falou sobre essa modalidade de conhecimento ao longo de todos os seus escritos e mais notavelmente em seus livros *St. Mawr and Other Stories*, *Mornings in Mexico* e *Fantasia of the Unconscious* e também em *Women in Love*. Aprendi com Lawrence a levar a sério essa modalidade de conhecimento e a pensar cuidadosamente a respeito dela. A partir daí, passei a estudar filosofia da ciência, história da física e medicina. Eu dei à modalidade de consciência que estava estudando o nome de *conhecimento do poder do espírito*, daí o título de um livro que escrevi, *Spirit Power Drawings*.

Capítulo 12

POSSIBILIDADES FUTURAS PARA OS CAMPOS DE ENERGIA

Este livro delineia os princípios gerais da ciência dos campos de energia humanos, mas apenas esboça os amplos contornos desse campo, e sugere algumas de suas possíveis aplicações. Estamos imersos em um campo eletromagnético e despejamos nele uma montanha de lixo eletromagnético. Os efeitos para o espírito e para a saúde dessa poluição eletromagnética constituem, em si mesmos, um novo campo de estudo. Até agora, nós apenas arranhamos os problemas que estamos criando com a tecnologia moderna e com as comunicações, com as investigações sobre o câncer causado pelas linhas de energia elétrica e pelos telefones celulares.

Sabemos que a radiação pode causar câncer. É possível que as linhas de energia elétrica possam causar alguns tipos de câncer, mas claramente o efeito, se é que ele existe, é sutil. Em geral, nos estudos epidemiológicos de doenças, os efeitos sutis podem ser reais, mas é necessário que grandes populações sejam estudadas para detectá-los. Se o câncer é produzido apenas ocasionalmente em alguma pessoa que vive perto dessas linhas de transmissão, fica difícil documentar a causalidade, pois a taxa de câncer entre as pessoas que vivem próximas das linhas de transmissão aumenta apenas muito pouco acima da linha de base.

O problema fica ainda mais complicado quando o efeito que está sendo estudado é difícil de ser medido. É fácil provar que uma pessoa tem leucemia, mesmo quando é difícil provar que essa doença foi causada por uma linha de transmissão de energia elétrica. Quando a "doença" que está sendo estudada é uma desconexão espiritual do campo geomagnético da Terra, o efeito é difícil de ser demonstrado cientificamente. As causas da desconexão incluem o isolamento com relação ao campo geomagnético da Terra por causa do concreto, da poluição eletromagnética causada pelo ruído eletromagnético presente no ambiente urbano em geral, e dos impulsos culturais e psicológicos que levam à desconexão.

Possibilidades futuras para os campos de energia

Os efeitos físicos e espirituais da poluição eletromagnética

Necessitamos de uma nova área de pesquisa em saúde pública, em epidemiologia e em intervenção clínica. Os efeitos do ruído eletromagnético geral do ambiente urbano sobre a saúde física e espiritual são basicamente desconhecidos. Por "física" eu me refiro ao corpo biológico e por "espiritual" eu me refiro ao campo eletromagnético do corpo. Há livros a respeito dos efeitos sobre a saúde dos circuitos elétricos locais dentro das nossas próprias casas, mas seus autores são considerados marginais a partir da perspectiva da ciência convencional. Seus modelos, métodos e descobertas não são levados a sério.

Embora, no nível biológico, os efeitos possam ser os de um simples gotejamento, suponho que a maior parte da poluição eletromagnética cause efeitos no nível espiritual, com desconexões e distúrbios na mente e nos níveis sutis do campo eletromagnético do corpo.

Desenvolvimento de armas

Atualmente, muito dinheiro está sendo aplicado na área da defesa em projetos de desenvolvimento de armas não letais. Eu trato desse assunto no meu livro *The C.I.A. Doctors* e os canais de comunicação da mídia convencional têm publicado matérias sobre armas não letais. Essas armas envolvem a projeção de feixes de radiação eletromagnética e de outras formas de energia, como feixes de energia acústica, contra determinados alvos. Esses feixes de energia podem derrubar uma pessoa, confundi-la ou causar sintomas físicos incapacitantes. Nas guerras recentes no Oriente Médio provavelmente foram usadas armas não letais e também é provável que elas tenham sido testadas em voluntários das forças armadas e em civis contra a sua vontade.

No futuro, o uso dessas armas será comum nas guerras convencionais. Serão necessários leis e regulamentos internacionais para o uso dessas armas e a medicina terá de estabelecer diretrizes éticas para a participação de médicos em projetos de pesquisa e desenvolvimento de armas não letais. Atualmente, a medicina, a psiquiatria e a psicologia organizadas estão agindo como se essas armas não existissem, apesar da provável participação de profissionais desses campos na avaliação do impacto de tais armas. Tortura eletromagnética a distância e controle das populações serão problemas sérios no futuro.

Tecnologia de vigilância

O escaneamento eletromagnético, incluindo o *Human Eyebeam Detection System*, poderia ter numerosas aplicações militares, de inteligência e domésticas. Essas tecnologias, juntamente com as tecnologias acústicas, poderiam acabar eliminando a privacidade. Elas permitiriam rastrear um indivíduo em todo o planeta, bem como saber se uma pessoa entrou em uma sala que estava trancada. Se a assinatura eletromagnética de uma pessoa é tão característica dela quanto suas impressões digitais, seu timbre de voz, seu padrão retinal ou seu DNA, então deveria ser possível identificar eletromagneticamente um intruso e armazenar ou transmitir digitalmente essa informação.

Como a física aplicada em geral, a ciência dos campos de energia humanos é uma faca de dois gumes e será utilizada tanto para curar como para matar.

Equipamentos domésticos

Como já vimos no começo deste livro, assistimos apenas ao advento de equipamentos domésticos que fazem uso dos campos eletromagnéticos. A rede local sem fio dentro de sua casa, os telefones celulares e a TV via satélite são apenas o início. Por enquanto, toda a tecnologia eletromagnética requer uma interação entre dois dispositivos manufaturados e então a transmissão de som ou de luz para a pessoa receptora. No futuro, uma ampla gama de dispositivos fará a interação diretamente com o campo eletromagnético da pessoa. Isso poderia envolver tanto um dispositivo que abre a porta de uma garagem e que é ativado pelo raio emitido pelo olho humano como sinais enviados à pessoa em resposta a flutuações em seu campo eletromagnético.

Por exemplo, quando o campo eletromagnético passa do estado do sono para o de vigília, um rádio poderia ser ligado. A voz do sistema associado a um computador doméstico poderia responder a alterações no estado de ânimo, na fome ou na excitação de diferentes sentidos a partir de uma simples ação de sensoriadas alterações no campo eletromagnético do morador.

A indústria do entretenimento

Sexo, drogas e *rock and roll* serão sempre populares. Os produtores aprenderão como modular estados de consciência usando campos eletromagnéticos e esses dispositivos serão usados com propósitos lícitos e ilícitos. Haverá vícios eletromagnéticos e dependentes do eletromagnetismo, pornografia eletromagnética e entretenimento familiar eletromagnético. No que diz respeito a brinquedos e jogos, eu tenho certeza de que as crianças adorarão ativar e manipular uma ampla faixa de dispositivos usando para isso os raios emitidos pelos seus olhos.

A tecnologia dos raios emitidos pelos olhos poderia ser utilizada tanto na pintura como na música. Se um agrupamento circular ou côncavo de sensores fosse montado de modo a ocupar todo o campo visual de uma pessoa, esta poderá pintar um quadro digital, apenas mudando a direção do seu olhar e as amplitudes das diferentes frequências da energia do raio emitido pelo olho. Outro software poderia converter o *input* vindo do olho em música. As mesmas aplicações poderiam ser destinadas tanto ao *Human Chakra Detection System* como ao *Whole Body EM Scanner*. Na medicina, "a música do corpo" soaria diferente de acordo com o estado de saúde ou de doença da pessoa. Imagino que os ouvintes poderiam facilmente reconhecer a diferença entre a "música do raio emitido pelo olho" — ou a "arte criada pelo raio emitido pelo olho" — de uma pessoa deprimida, de uma normal e de uma maníaca.

No sentido inverso, um concerto para trompa de Mozart, uma peça de música country e outra de rap induzirão estados eletromagnéticos mensuravelmente diferentes nos corpos dos ouvintes.

Tecnologia médica

As aplicações médicas da ciência dos campos de energia humanos serão muitas. Exemplos disso já foram apresentados em capítulos anteriores.

Alimentos e agricultura

Os efeitos dos campos eletromagnéticos sobre frutas, verduras e animais de criação constituem outro campo de estudos no âmbito da nova ciência. Muitos consumidores estão desnecessariamente preocupados com a possibilidade de os alimentos que sofreram esses efeitos sejam radiativos ou prejudiciais à saúde. É comum as pessoas reagirem de modo irracional e não científico à existência de produtos de colheita que foram manipulados por meio da engenharia genética. Mas há também questões e preocupações realistas nessas áreas.

Os mesmos problemas ocorrerão quando se usar campos eletromagnéticos para, a baixo custo, acelerar a germinação ou intensificar o crescimento nas lavouras e nas fazendas.

Resumo

Uma vez que os campos eletromagnéticos estão em toda parte e o tempo todo, vivemos constantemente imersos em um oceano eletromagnético. De uma maneira ou de outra, os campos eletromagnéticos estão presentes em tudo o que fazemos, dizemos, pensamos e sentimos. Por isso, o potencial de aplicações da ciência dos campos de energia humanos tem grande amplitude e grande profundidade, tanto para bons como para maus propósitos. Como sabemos de todas as mitologias e de todas as culturas do mundo, o campo cósmico tem um lado claro e um escuro e pode ser usado para promover a vida ou a morte. Eu voto em favor da vida.

BIBLIOGRAFIA

Livros

Aczel, Amir D. *Entanglement: The Greatest Mystery in Physics*. Vancouver: Raincoast Books, 2002.

Becker, Robert e Selden, Gary. *The Body Electric: Electromagnetism and the Foundation of Life*. Nova York: William Morrow, 1985.

Brennan, Barbara Ann. *Hands of Light: A Guide to Healing Through the Human Energy Field*. Nova York: Bantam Books, 1988. [*Mãos de Luz: Um Guia para a Cura Através do Campo de Energia Humana*, publicado pela Editora Pensamento, São Paulo, 1990.]

Calder, Nigel. *Einstein's Universe*. Nova York: Viking Press, 1979.

Campbell, Wallace. *Introduction to Geomagnetic Fields*. Cambridge: Cambridge University Press, 1997.

Capra, Fritjof. *The Tao of Physics*. Boston: Shambhala Publications, 1991. [*O Tao da Física*, publicado pela Editora Cultrix, São Paulo, 1985.]

Cowan, David e Arnold, Chris. *Ley Lines and Earth Energy Fields: A Groundbreaking Exploration of the Earth's Natural Energy and How It Affects Our Health*. Kempton, Illinois: Adventures Unlimited Press, 2003.

Davies, Paul. *God & the New Physics*. Nova York: Touchstone, 1983.

Demos, John N. *Getting Started with Neurofeedback*. Nova York: W. W. Norton, 2005.

Descartes, René. *Discourse on Method and The Meditations*. Nova York: Penguin Books, 1968 (1637).

Edelman, Gerald M. e Tononi, Giulio. *A Universe of Consciousness: How Matter Becomes Imagination*. Nova York: Basic Books, 2000.

Edmonds, D. T. *Electricity and Magnetism in Biological Systems*. Oxford: Oxford University Press, 2001.

Einstein, Albert. *Relativity: The Special and the General Theory*. Nova York: Three Rivers Press, 1961.

Fox, Karl C. e Keck, Aries. *Einstein A to Z*. Nova York: John Wiley & Sons, 2004.

Gershon, Michael. *The Second Brain: Your Gut Has A Mind of Its Own*. Nova York: Harper Perennial, 1998.

Gerber, Richard. *Vibrational Medicine: The #1 Handbook of Subtle-Energy Therapies*. Rochester, Vermont: Bear and Company, 2001. [*Medicina Vibracional: Uma Medicina para o Futuro*, publicado pela Editora Cultrix, São Paulo, 1992.]

Goswani, Amit. *The Self-Aware Universe: How Consciousness Creates the Material World*. Nova York: Jeremy P. Tarcher/Putnam, 1993.

Goswani, Amit. *The Quantum Doctor*. Charlottesville, Virginia: Hampton Roads, 2004. [*O Médico Quântico*, publicado pela Editora Cultrix, São Paulo, 2006.]

Gribbin, John. *In Search of Schrodinger's Cat: Quantum Physics and Reality*. Nova York: Bantam Books, 1984.

Gribbin, John. *Schrodinger's Kittens and the Search for Reality*. Nova York: John Wiley & Sons, 1995.

Hawking, Steve. *A Brief History of Time*. Nova York: Bantam Books, 1988.

Heisenberg, Werner. *Physics and Philosophy: The Revolution in Modern Science*. Nova York: Harper Centennial, 1958/2007.

Huan, Zhang Yu e Rose, Ken. *A Brief History of Qi*. Brookline, Massachusetts: Paradigm Publications, 2001.

Hunt, Valerie V. *Infinite Mind. The Science of Human Vibrations*. Malibu, California: Malibu Publishing Co., 1989.

Jeans, Sir James. *Physics and Philosophy*. Nova York: Dover Publications, 1981.

Lipton, Bruce. *The Biology of Belief: Unleashing the Power of Consciousness, Matter & Miracles*. Santa Rosa, California: Mountain of Love/Elite Books, 2005.

Locke, John. *An Essay Concerning Human Understanding*. Londres: J. M. Dent, 1690/1993.

Maloney, Clarence. *The Evil Eye*. Nova York: Columbia University Press, 1976.

McTaggart, Lynne. *The Field: The Quest for the Secret Force of the Universe*. Nova York: Harper Collins, 2002.

Norwood, Joseph. *Physics, Consciousness and the Nature of Existence*. Bloomington, Indiana: 1st Books Library, 2002.

Penrose, Roger. *The Emperor's New Mind*. Oxford: Oxford University Press, 1989/1999.

Pert, Candace. *Molecules of Emotion: The Science Behind Mind-Body Medicine*. Nova York: Scribner, 1997.

Radin, Dean. *Entangled Minds: Extrasensory Experiences in a Quantum Reality*. Nova York: Paraview Pocket Books, 2006.

Ramachandran, Vilayanur. *The Emerging Mind*. Londres: Profile Books, 2005.

Ramachandran, V. S. *A Brief Tour of Human Consciousness*. Nova York: Pi Press, 2004.

Randall, Lisa. *Warped Passages: Unraveling the Mysteries of the Universe's Hidden Dimensions*. Nova York: Harper Collins, 2005.

Rosenblum, Bruce e Kuttner, Fred. *Quantum Enigma: Physics Encounters Consciousness*. Oxford: Oxford University Press, 2006.

Ross, Colin A. *Dissociative Identity Disorder: Diagnosis, Clinical Features and Treatment of Multiple Personality* (2ª edição). Nova York: John Wiley & Sons, 1997.

Sacks, Oliver. *A Leg To Stand On*. Nova York: Touchstone, 1998.

Schrödinger, Erwin. *What Is Life?* Cambridge: Cambridge University Press, 1967.

Sheldrake, Rupert. *The Sense of Being Stared At: And Other Unexplained Powers of the Human Mind*. Nova York: Crown Publications, 2003. [*A Sensação de Estar Sendo Observado e Outros Aspectos da Mente Expandida*, publicado pela Editora Cultrix, São Paulo, 2004.]

Toulmin, Stephen. *The Philosophy of Science*. Londres: Hutchinson & Co., 1953.

Walker, Evan Harris. *The Physics of Consciousness*. Nova York: Basic Books, 2000.

West, Cameron. *First Person Plural: My Life as a Multiple*. Nova York: Hyperion Press, 1999.

Yourgeau, Palle. *A World Without Time: The Forgotten Legacy of Godel and Einstein*. Nova York: Basic Books, 2005.

Zukav, Gary. *The Dancing Wu Li Masters: An Overview of the New Physics*. Nova York: Perennial Classics, 2001.

Artigos especializados

Harland, C. J., Clark. T. D. e Prance, R. J. "Remote detection of human electroencephalograms using ultrahigh input impedance electric potential sensors". *Applied Physics Letters*, 81, 3284--286, 2002.

Harland, C. J., Clark, T. D. e Prance, R. J. "Electric potential probes – new directions in the remote sensing of the human body". *Measurement Science and Technology*, 13, 163-69, 2002.

Prance, R. J., Beardsmore-Rust, S., Aydin, A. Harland, C. J. e Prance, H. "Biological and medical applications of a new electric field sensor". *Procceedings of the ESA Annual Meeting on Electrostatics*, Paper N2, 1-4, 2008.

Prance, R. J., Debray, A., Clark. T. D., Prance, H., Nock, M., Harland, C. J. e Clippingdale, A. J. "An ultra-low-noise electrical-potential probe for human-body scanning". *Measurement Science and Technology*, 11, 291-97, 2000.

Ross, Colin A. "The dissociated executive self and the cultural dissociation barrier". *Dissociation*, 5, 55-61, 1991.

Winer, G. A. e Cottrell, J. E. "Does anything leave the eye when we see? Extramission beliefs of children and adults". *Current Directions in Psychological Science*, 5, 137-42, 1996.

Winer, G. A., Cottrell, J. E., Gregg, V., Fournier, J. S. e Bica, L. A. "Fundamentally misunderstanding visual perception: Adults' belief in visual emission". *American Psychologist*, 57, 417-24, 2002.

Winer, G. A., Cottrell, J. E., Gregg, V., Fournier, J. S. e Bica, L. A. "Do adults believe in visual emissions?" *American Psychologist*, 58, 495-96, 2003.

APÊNDICES

Os apêndices a seguir são endereçados a todos os que leram o livro até aqui, embora nem todos tenham interesse nos assuntos abordados. Eu incluí uma discussão à parte sobre o transtorno dissociativo de identidade (TDI), porque escrevi uma série de livros sobre o assunto e, como psiquiatra, tenho especial interesse pelo tema. Como eu imagino que para a maioria dos leitores essa questão parecerá um pouco periférica, eu a coloquei aqui em forma de apêndice para não interromper o fluxo da leitura dos outros capítulos.

A parte sobre o que ficou conhecido na física como o experimento da dupla fenda é um pouco técnica e pressupõe algum conhecimento sobre filosofia da ciência e também sobre a lógica do *enigma quântico, o problema da medição, a interpretação de Copenhague da mecânica quântica* e temas relacionados. No entanto, não pressupõe nenhum conhecimento de matemática.

Eu procurei escrever o texto sobre o experimento da dupla fenda de maneira a tornar sua leitura acessível para a maioria dos leitores, mas aqueles que não têm familiaridade com o vocabulário e a lógica do tema terão que fazer algum esforço intelectual para acompanhar o argumento. O principal propósito deste apêndice é demonstrar que eu refleti sobre as implicações filosóficas da mecânica quântica para a ciência dos campos de energia humanos: eu acho que essas implicações são mínimas.

Diante disso, talvez seja verdade que, em algum momento no futuro, conceitos como *tunelamento quântico* e *causalidade não local* poderiam levar a aplicações tecnológicas na medicina energética. Como a matemática da mecânica quântica é impenetrável para mim, não tenho muito a dizer sobre tais possibilidades. No entanto, como a velocidade da luz é de 300 mil quilômetros por segundo e o tempo que o cérebro leva para processar informações é medido em centenas de milissegundos, toda informação eletromagnética digital é transmitida instantaneamente da perspectiva da consciência humana. Por isso, em meu modo de ver, a causalidade não local não é necessária para a prática da medicina energética nem para o estudo da consciência humana.

Apêndice 1

O TRANSTORNO DISSOCIATIVO DE IDENTIDADE E OS ESCANEAMENTOS ELETROMAGNÉTICOS DO CORPO TODO

O transtorno dissociativo de identidade (TDI) era conhecido anteriormente como transtorno da personalidade múltipla (ou dupla personalidade, como é chamado popularmente). As diferentes personalidades que assumem alternadamente o controle do corpo no TDI não são literalmente pessoas diferentes. É essencial entender o que eu chamo de *paradoxo central do TDI*. Eu explico isso às pessoas que participam dos meus grupos de terapia cognitiva, dizendo que o TDI é real e não real ao mesmo tempo. Ele não é real no sentido de que não há literalmente um punhado de pessoinhas dando voltas dentro do seu cérebro. Se tirássemos um raio X de sua cabeça, não veríamos um punhado de esqueletinhos dentro dela.

Por outro lado, o TDI é psicologicamente real. As pessoas com esse transtorno chegam de fato a um determinado local sem conseguir se lembrar das horas e dias anteriores e sem nenhuma ideia de como chegaram ali. Essas experiências realmente ocorrem. Portanto, o TDI é psicologicamente real, embora não seja literalmente real. As pessoas que acreditam na existência do TDI e as que não acreditam estão ambas metade certas e metade erradas.

No tratamento, é importante entender o paradoxo central do TDI para impedir a ocorrência de dois erros. Se você como terapeuta se distancia demais da realidade do TDI e assume uma postura cética, você perde toda capacidade de empatia, não consegue aceitar a pessoa no lugar em que ela se encontra e não consegue trabalhar com sua realidade psicológica. Por outro lado, se você se perde no vívido mundo interior das diferentes personalidades, suas histórias e interações, e leva tudo demasiadamente ao pé da letra, o *videogame* interno continuará eternamente e não haverá recuperação.

Para que a recuperação possa realmente ocorrer, tanto o terapeuta como o paciente têm de manter um pé em cada realidade, às vezes com mais ênfase em uma do que na outra de uma maneira equilibrada, fluída e flexível.

Expressando a situação de maneira diferente, sob certas condições experimentais, o TDI parece uma realidade psicológica, enquanto, em outras, ele parece uma ilusão psicológica. Essa frase pode ser modificada, substituindo-se o termo "TDI" por "luz", "parece" por "se comporta como", "realidade psicológica" por "partícula" e "ilusão psicológica" por "onda". A frase torna-se então: sob certas condições experimentais, a luz se comporta como partícula, enquanto sob outras condições experimentais, ela se comporta como onda. A lógica do paradoxo central do TDI é a mesma que a da dualidade onda-partícula na física.

Dado o paradoxo central do TDI, nenhum escaneamento eletromagnético pode "provar" que ele seja literalmente real, uma vez que ele não é literalmente real. O TDI é uma intensa ilusão subjetiva criada pela mente para lidar com algum trauma esmagador — o trauma é demais para uma pessoa sozinha dar conta dele e, por isso, ela cria toda uma equipe interna. Cada membro da equipe lida com um subcomponente mais tolerável do todo.

O objetivo da pesquisa no âmbito de minha ciência dos campos de energia humanos não é provar a realidade literal do TDI. Em vez disso, seu objetivo é provar que o TDI tem uma assinatura eletromagnética que não pode ser produzida sequer por ator muito bem treinado. Há dois modelos de TDI que competem entre si no campo da saúde mental. Segundo o modelo traumático, as diferentes personalidades são diferentes estados psicofisiológicos criados naturalmente para lidar com o trauma. Para o modelo sociocognitivo, o TDI é criado em terapia por meio de um processo chamado de *desempenho de papéis*.

De acordo com o modelo sociocognitivo, o TDI não existe antes da terapia. Em vez disso, ele é desempenhado inconscientemente como papéis em resposta a dicas, sugestões e perguntas feitas pelo terapeuta que sugerem determinadas respostas — não há nenhum estado psicofisiológico diferenciado e o TDI desaparecerá se você o ignorar e deixar de reforçá-lo.

O modelo traumático propõe que as assinaturas eletromagnéticas das diferentes personalidades da criança com TDI diferem significativamente das assinaturas eletromagnéticas de um adulto como personalidade hospedeira no mesmo corpo. As assinaturas das personalidades da criança se assemelham aos padrões das crianças biológicas, enquanto as do adulto se assemelham aos padrões de adultos não portadores do TDI. Esse prognóstico do modelo traumático pode ser testado com dados de EEG que faz uso de um software z-score — uma medida estatística — que já vem com os índices normativos para toda a vida e encontra-se disponível no mercado.

O *Whole Body EM Scanner* pode fornecer evidências definitivas de que o modelo do trauma para o TDI é correto ou incorreto. A Figura 1, a seguir, mostra as assinaturas eletromagnéticas de um conjunto de diferentes personalidades de Cameron West, que descreve seu TDI em sua autobiografia *First*

Person Plural. Eletrodos foram colocados na testa (em uma posição sob o chakra coronário) de Cameron West, nos pontos convencionais do couro cabeludo chamados F3 e F4 e obteve-se linhas de gráfico correspondentes a cada personalidade que estava no controle de seu corpo e durante o processo de mudança de uma personalidade para outra.

De Cameron

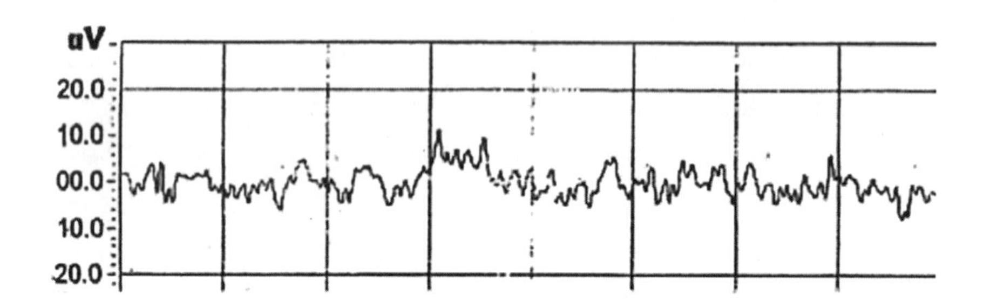

De Roger

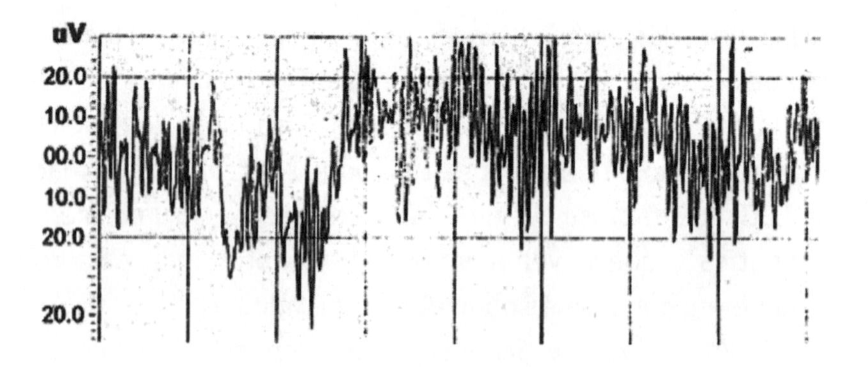

Mudança de Cameron para Roger

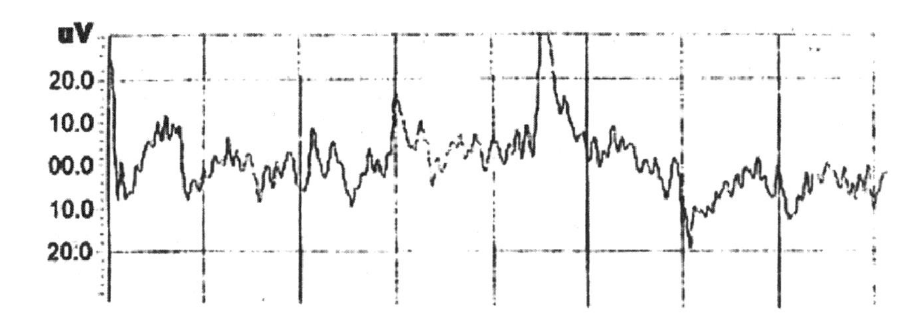

De Wyatt

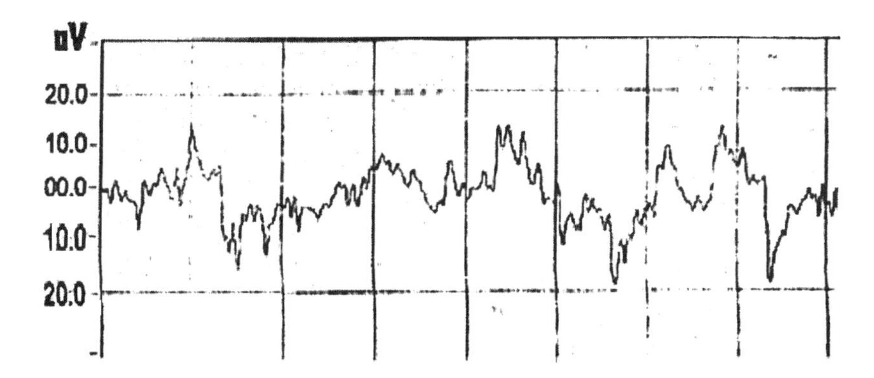

Figura 1 Assinatura eletromagnética das diferentes personalidades e do processo de mudança de uma para outra em Cameron West

O equipamento utilizado foi um aparelho de EEG desenvolvido por Margaret Ayers (www.neuropathways.com), que realizou os exames em seu escritório na Califórnia. Os traçados se revelam diferentes à primeira vista. Se atores treinados, chamados *simuladores* na literatura da psicologia, conseguem imitar o comportamento de um portador de TDI tão bem que os especialistas em TDI não conseguem distingui-los dos verdadeiros pacientes, então o modelo sociocognitivo do TDI poderia estar correto. Se, no entanto, os simuladores não conseguem produzir diferentes estados eletromagnéticos conforme registrados pelo EEG, então há uma diferença física real entre o verdadeiro TDI e o TDI simulado.

No entanto, no modelo sociocognitivo, simulação e desempenho de papel são coisas diferentes. Simulação é fingimento consciente, enquanto desempenho de papel é mais inconsciente e a pessoa que representa o TDI em resposta a dicas e sugestões do terapeuta normalmente acredita ser portadora do TDI. Por isso, para estabelecer a verdade, os seguidores do modelo sociocognitivo teriam de fazer exames de EEG das pessoas que se considera estarem representando o papel de portadoras do TDI.

O problema torna-se então o de como diferenciar o verdadeiro TDI do TDI desempenhado clinicamente como papel. Isso só pode ser feito por meio das histórias contadas pela própria pessoa ou por informantes indiretos. Se julgamos que uma pessoa está desempenhando o papel de portadora de TDI e ela apresenta em seu EEG diferenças entre as personalidades que são as mesmas dos "verdadeiros" portadores de TDI, o que isso significa? Significa que o TDI produzido pela encenação de um papel em terapia é exatamente tão "real", da perspectiva eletromagnética, quanto o TDI que surge naturalmente como reação a um trauma sofrido na infância. Isso nos leva de volta ao paradoxo central do TDI.

Finalmente, os defensores ideologicamente ferrenhos, seja do modelo sociocognitivo ou do modelo traumático do TDI (a natureza ondulatória ou corpuscular do TDI), não podem ser persuadidos por dados eletromagnéticos a mudar de posição, a não ser que todos possam estar clinicamente de acordo com respeito a quem está representando e quem de fato é portador de TDI, de acordo com o modelo traumático. Se esse acordo pode ser alcançado e se os indivíduos que estão desempenhando o TDI não conseguem gerar diferentes EEGs com diferentes assinaturas eletromagnéticas para as diferentes personalidades, então a questão estará resolvida.

É importante lembrar, no entanto, que o objetivo do exercício não é provar que o TDI é "real". Tampouco que ele não é real. As informações eletromagnéticas não podem desemaranhar um laço tautológico fechado e, portanto, não podem persuadir os adeptos de ideias fixas a mudarem de opinião (minha previsão é a de que se constatará que tal rigidez intelectual é um problema do campo eletromagnético com uma diferente assinatura no *Whole Body EM Scanner*).

O TDI como modelo laboratorial de diferentes estados eletromagnéticos

Qualquer caso de TDI no qual as diferentes personalidades têm diferentes assinaturas eletromagnéticas constitui um terreno fértil para estudos científicos. Compare-se, por exemplo, o TDI com o transtorno bipolar. Eu prevejo que se constatará que os estados depressivos e maníacos em uma pessoa com transtorno bipolar têm diferentes assinaturas eletromagnéticas. Para provar isso, seria necessário inscrever um grande número de pessoas em um estudo e esperar que seus estados maníacos e depressivos se manifestassem. Isso poderia levar anos e seria difícil logisticamente, isto é, em termos práticos. Além disso, o prolongamento do tratamento por um tempo suficientemente longo, para que se pudesse obter os escaneamentos necessários, traria problemas de ordem ética.

Se, no entanto, o diagnóstico for de TDI, as alterações de seu estado poderão ser produzidas em qualquer dia por uma simples solicitação. A sequência de estados pode ser modificada sistematicamente e pode-se dar à pessoa uma série interminável de dicas, estímulos e desafios nos diferentes estados. Suponhamos que temos pessoas com personalidades A, B, C e D, todas capazes de assumir o controle executivo quando solicitadas. Quais são as possibilidades de serem detectadas pelo uso do *Chakra Detection System* ou do *Whole Body EM Scanner*?

Suponhamos que as personalidades A e B sejam clinicamente depressivas e as personalidades C e D não. É comum isso acontecer. Meu prognóstico é que as assinaturas eletromagnéticas de A e B seriam diferentes das de C e D, da mesma maneira que as assinaturas variam em uma pessoa não portadora do TDI, dependendo de ela ser ou não depressiva. Isso seria verdadeiro independentemente da sequência pela qual as diferentes personalidades foram solicitadas, mas com algum grau de perda por "vazamento" e de retardo.

Se a presença da personalidade A é solicitada por cinco minutos, em seguida a personalidade B, o estado eletromagnético de B será mais depressivo do que se a personalidade C é solicitada por cinco minutos e seguida de B. Se a personalidade A é solicitada e seguida de D, o estado de D será mais depressivo do que quando a personalidade C é solicitada primeiro. Inversamente, o estado de A será menos depressivo se a personalidade C é solicitada primeiro, e não a B. A depressão de A pode ser parcialmente tratada com as personalidades A e C conscientes e presentes simultaneamente. Consciência simultânea significa não haver nenhuma amnésia entre A e C; e presença simultânea significa que A e C estão compartilhando o controle executivo ao mesmo tempo. Essas mudanças de estado serão acompanhadas de alterações nos níveis de interleucina, cortisol, adrenalina, neurotransmissão pelo glutamato e outras variáveis biológicas.

O passo seguinte da pesquisa seria fazer intervenções nos diferentes estados, em diferentes sequências e combinações. Por exemplo, um antidepressivo poderia reduzir a depressão nas personalidades A e B e, com isso, as assinaturas eletromagnéticas de ambas ficariam mais próximas das de C e D. Se, no entanto, nas personalidades C e D aparecerem efeitos colaterais, como perda de apetite sexual, esses deveriam vir acompanhados de uma redução no tráfego eletromagnético entre os chakras da pélvis e da cabeça quando C ou D estiver no controle executivo. Se A e B já haviam perdido o apetite sexual em consequência da depressão, essa mudança na assinatura eletromagnética não aparecerá em suas imagens escaneadas.

Tecnicamente, esse efeito seria descrito como uma *dissociação* experimental entre o benefício do antidepressivo e o seu efeito colateral de produzir uma perda de apetite sexual. Essa seria uma dissociação no sentido sistêmico geral e confirmaria a realidade clínica do transtorno dissociativo.

Se as duas diferentes personalidades A e B forem ambas depressivas, mas havendo uma completa amnésia entre elas, em princípio uma poderá receber uma terapia cognitiva de curta duração, enquanto a outra receberia um tratamento para neutralizar o controle. Se os níveis de depressão em A baixaram mais do que os de B (poderia ocorrer alguma perda por vazamento), então a assinatura eletromagnética de A, mas não de B, deveria mudar para as de C e de D.

É comum que portadores de TDI preencham os critérios para o diagnóstico de numerosas diferentes doenças, entre elas depressão, transtorno do stress pós-traumático, problema de somatização, transtorno obsessivo-compulsivo e dependência química. Se as diferentes personalidades com e sem a presença de algum desses sintomas puderem mudar quando solicitadas, então elas poderiam ser submetidas a intervenções procedentes.

Em princípio, uma pessoa com fobia por cobras poderia ser escaneada tanto sem a presença de cobras na sala como com sua presença próxima, mas seria muito difícil recrutar voluntários (para não mencionar o recrutamento de técnicos). No TDI, em comparação, não é difícil identificar as diferentes personalidades que são extremamente diferentes em seus níveis de ansiedade latente.

Uma vez que a "discussão" sobre a realidade do TDI tenha sido posta de lado, as pessoas com esse transtorno tornam-se participantes potencialmente inestimáveis para os estudos. Qualquer número de estados e variáveis psicofisiológicos poderia ser estudado em portadores de TDI, no âmbito da ciência dos campos de energia humanos, desde dores até o QI e o fluxo de chi pelos meridianos.

Uma vez que a fisiologia eletromagnética da mudança de estado no TDI tenha sido bem definida, as descobertas podem então ser aplicadas a não portadores de TDI. Por exemplo, sinais ambientais podem causar em uma pessoa com síndrome do pânico um estado de extrema ansiedade. Esses sinais incluem altas doses de cafeína e exposição a estímulos fóbicos. Se uma pessoa com síndrome do pânico tem medo extremo de elevadores, para induzir nela, de maneira fácil e confiável, um ataque de pânico, basta colocá-la diante de um elevador com a porta aberta. Essa reação de pânico pode ser bloqueada por medicamentos ou pela terapia cognitivo-comportamental em pessoas que respondem ao tratamento, como também a reação de pânico a altas doses de cafeína.

Temos, assim, um sistema psicofisiológico no qual o estado de pânico pode ser induzido por meio de sinais físicos ou psicológicos e bloqueado por meio de intervenções psicológicas e físicas. Há oito combinações de resultados, dependendo de o tratamento funcionar ou não:

- Elevador-terapia cognitiva-sem pânico
- Elevador-medicamentos-sem pânico
- Cafeína-terapia cognitiva-sem pânico
- Cafeína-medicamentos-sem pânico
- Elevador-terapia cognitiva-pânico
- Elevador-medicamentos-pânico
- Cafeína-terapia cognitiva-pânico
- Cafeína-medicamentos-pânico

No participante voluntário do experimento que é portador do TDI, essa série de resultados parece semelhante, exceto que os resultados com e sem a presença de pânico podem ser obtidos antes do tratamento. A personalidade A alterada tem síndrome do pânico e a personalidade B alterada não tem:

- Elevador-A-pânico
- Elevador-B-sem pânico
- Cafeína-A-pânico
- Cafeína-B-sem pânico

Agora a intervenção terapêutica pode ser aplicada ao estudo:

- Elevador-A-pânico-terapia cognitiva-sem pânico
- Elevador-A-pânico-terapia cognitiva-pânico
- Elevador-B-sem pânico-terapia cognitiva- sem pânico
- Cafeína-A-pânico-terapia cognitiva-sem pânico
- Cafeína-A-pânico-terapia cognitiva-pânico
- Cafeína-B-sem pânico-terapia cognitiva-sem pânico
- Elevador-A-pânico-medicamentos-sem pânico
- Elevador-A-pânico-medicamentos-pânico
- Elevador-B-sem pânico-medicamentos-sem pânico
- Cafeína-A-pânico-medicamentos-sem pânico

- Cafeína-A-pânico-medicamentos-pânico
- Cafeína-B-sem pânico-medicamentos-sem pânico

Essa é uma sequência de resultados muito mais rica e instrutiva. As assinaturas eletromagnéticas de todos esses resultados podem ser comparadas com todas as dos outros, fornecendo pistas sobre por que as intervenções terapêuticas funcionam ou não funcionam. As pistas podem ser fatores biológicos ou psicológicos que diferem entre as personalidades alteradas A e B.

Esse padrão geral pode ser aplicado a todos os estados psicofisiológicos e a todas as manipulações experimentais de interesse, respeitando os limites da ética médica. O TDI poderia ser um modelo laboratorial prático e disponível para uma ampla gama de estudos e pesquisas no âmbito da ciência dos campos de energia humanos. O mesmo poderia valer para outras áreas da ciência, como fisiologia, psicologia social e muitas outras disciplinas.

Normalização do volume do hipocampo como resultado do tratamento bem-sucedido do TDI

Há um acúmulo de evidências obtidas por estudos realizados com seres humanos e animais de laboratório indicando que o estresse psicológico prejudica o hipocampo, parte do sistema límbico do cérebro envolvido na memória. Por exemplo, em experimentos feitos com ratos, nos quais todos eles são membros da mesma linhagem genética, os animais são aleatoriamente designados a um grupo experimental e a um grupo de controle. O grupo experimental é submetido a um nível extremo de estresse psicológico crônico durante a infância, enquanto o grupo de controle tem uma infância normal. Todas as outras variáveis, como alimentação e temperatura ambiente, são mantidas constantes.

Quando adultos, os ratos traumatizados têm seus hipocampos encolhidos. Quando seus cérebros são examinados sob um microscópio, o dano aos neurônios aparece nítido e visível no hipocampo, mas não ao cérebro em geral. Sabemos que esse dano foi causado pelo estresse por causa do modo como o experimento foi programado. Há provavelmente muitas vias bioquímicas pelas quais esse dano ocorre.

Uma delas foi bem estudada: em todos os mamíferos, o estresse psicológico provoca a liberação de cortisol pelas glândulas suprarrenais. Os níveis elevados de cortisol no sangue contribuem para desviar energia de funções que são desempenhadas mais no longo prazo para as demandas imediatas de respostas de combate ou fuga. Simultaneamente, a adrenalina é liberada pelas glândulas suprarrenais e ela também desvia a corrente sanguínea e outras fontes de energia para as respostas de lutar ou fugir impostas por ameaças ou perigos imediatos.

O nível elevado de cortisol exerce pouco ou nenhum efeito tóxico geral sobre o cérebro, mas no hipocampo ele afeta as passagens nas membranas neuronais. As passagens são abertas com muita frequência ou por tempo demasiadamente longo e os metabólitos tóxicos e moléculas do cérebro inundam as células, causando-lhes danos ou sua morte. Em consequência disso, o hipocampo diminui de tamanho de maneira mensurável. Esse efeito tem sido constatado em pessoas portadoras de transtorno do stress pós-traumático e do transtorno dissociativo de identidade. Nos seres humanos, ainda não ficou comprovado que a redução do volume do hipocampo ocorre após o trauma, e não antes dele, mas parece provável com base nos dados fornecidos pelos estudos com animais. É possível que em algumas pessoas o transtorno do stress pós-traumático seja desenvolvido em função do dano causado ao hipocampo e que em outras ocorra o inverso.

Outra via que contribui para o dano ao hipocampo provavelmente seja a neurotransmissão de glutamato: o stress aumenta a taxa de liberação de glutamato no hipocampo até que ela atinja níveis tóxicos. Quaisquer que sejam as vias e qualquer que seja a porcentagem de portadores do transtorno do stress pós-traumático e do transtorno dissociativo de identidade, cujo dano ao hipocampo seja parte de sua resposta ao trauma, em pelo menos um grupo, provavelmente, o dano não teria ocorrido se não tivesse havido o trauma. O grau de redução do tamanho do hipocampo é maior nos portadores do TDI do que nos portadores do transtorno do stress pós-traumático, de maneira que os portadores de TDI são boas cobaias para essa linha de pesquisa.

Proponho que o dano ao hipocampo dos portadores de TDI, na maioria dos casos, ou em todos, seja parte da resposta ao stress dos mamíferos normais. Isso não quer dizer que os portadores de TDI sejam inerentemente anormais; significa, antes, que eles foram expostos a traumas extremos e, por isso, exibem os efeitos tóxicos do trauma no cérebro em um grau extremo. Os portadores de TDI são normais levando-se em consideração seus genes relacionados ao cortisol e ao hipocampo, mas, lamentavelmente, um erro na programação evolutiva de todos os mamíferos resulta em dano ao hipocampo em resposta a condições extremas de stress crônico.

Já existem dados demonstrando que os antidepressivos inibidores da recaptação de serotonina podem estimular a reconstituição e o crescimento das células do hipocampo em ratos traumatizados. Acredito que a psicoterapia seja mais eficaz do que os medicamentos para reverter o dano ao hipocampo em seres humanos (não dispomos de bons procedimentos psicoterapêuticos para ratos e, além disso, eles não têm convênio médico). Isso leva a vários prognósticos:

1. Em portadores de TDI, há um dano mensurável ao hipocampo.
2. Com base no que já se conhece a respeito da função do hipocampo, é possível dizer que as pessoas com a função do hipocampo mais prejudicada são as menos integradas, ou seja, as mais dissociadas.
3. A psicoterapia de longo prazo para o TDI resultará na normalização do volume do hipocampo e no desaparecimento de seu transtorno dissociativo.
4. Os indivíduos que não fazem terapia para o TDI, ou não respondem a ela, não terão o volume do hipocampo, nem seu funcionamento, recuperado espontaneamente.
5. O efeito da psicoterapia sobre os neurônios do hipocampo ocorrerá em sinergia com os efeitos dos remédios inibidores da recaptação de serotonina.
6. Outras anormalidades biológicas, como a desregulação do cortisol, também terão melhora ou retornarão ao normal com terapias bem-sucedidas.

Se esses prognósticos estão corretos, então, com os procedimentos psicoterápicos existentes, as medições dos sintomas clínicos e a tecnologia do escaneamento e produção de imagens por ressonância magnética, será possível demonstrar a restauração do tecido do sistema nervoso central por meio da psicoterapia.

Isso era cientificamente impossível na época em que eu estudei medicina. Nas décadas de 1970 e 1980, era dogma inquestionável na biologia a impossibilidade de os neurônios serem restaurados ou substituídos. Outros tecidos, como os da pele, podem se autorrestaurar, mas não os do cérebro, de acordo com o dogma. Na década passada, ficou provado que esse dogma estava errado. De fato, sabe-se hoje que, especialmente no hipocampo, neurônios danificados podem ser restaurados e novos neurônios podem ser criados para substituir os que morreram.

A ciência dos campos de energia humanos prevê que os controles para a autorrecuperação do cérebro são eletromagnéticos. A psicoterapia opera nos níveis sutis do campo eletromagnético — esses níveis são chamados de corpos mental, astral, etérico e causal em diferentes sistemas místicos. Digo que todos esses "corpos" não físicos são níveis ainda mais rarefeitos e sutis de um campo eletromagnético unificado que inclui o corpo físico.

O processo de autorreparação do cérebro por meio da psicoterapia pode ser potencialmente rastreado em um *Whole Body EM Scanner*. A primeira mudança no organismo, em resposta à psicoterapia, ocorre na *mente*, não no corpo. O campo eletromagnético da mente tem a propriedade de ser *auto-organizador*. Acredito que o primeiro estágio, em termos eletrofisiológicos, é a geração de um *hipocampo fantasma*: o processo de autorreparação do cérebro deve estar relacionado com o processo de regeneração de membros da salamandra.

A psicoterapia dá início a uma reorganização sutil dos campos eletromagnéticos do cérebro e do corpo, que nós rastreamos clinicamente como mudanças de crenças e erros cognitivos, um compromisso com a sobriedade e, nos casos de TDI, maior comunicação e cooperação entre as diferentes personalidades. Por meio da psicoterapia para o TDI, módulos dissociados do cérebro aprendem a falar uns com os outros. A mudança sutil no campo eletromagnético é aprofundada, reforçada e amplificada por meio de um processo chamado de *generalização*.

Finalmente, a mudança no campo eletromagnético torna-se suficientemente intensa a ponto de afetar o ambiente eletromagnético no nível biológico. A polarização neuronal, a fisiologia dos canais da membrana, a expressão genética e outras funções são modificadas. Genes são ligados e desligados, o fator de produção de desenvolvimento neuronal aumenta e tem início a autorreparação biológica.

O processo, no entanto, não ocorre ao acaso. Enquanto os medicamentos inibidores da recaptação de serotonina fornecem um estímulo não estruturado e não específico à reparação dos neurônios, a psicoterapia orienta a criação de novas conexões dendríticas no cérebro de uma maneira funcional, organizada e integrada.

Uma vez que esse efeito tenha sido demonstrado e reproduzido, a natureza bidirecional da interação causal entre a mente o cérebro será cientificamente comprovada. O cérebro dirige a mente e a mente dirige o cérebro. O dualismo e o materialismo serão refutados cientificamente. Eles sempre foram cientificamente equivocados. O problema com o materialismo e com o reducionismo é que eles estão errados cientificamente. Não é assim que a física, a química e a biologia funcionam.

O EXPERIMENTO DA DUPLA FENDA EM FÍSICA

O filme *Quem Somos Nós?* lida com as implicações filosóficas da mecânica quântica. Os entrevistados no filme falam sobre *causalidade não local* e outros conceitos da mecânica quântica, e afirmam que a mecânica quântica dá sustentação à existência do livre-arbítrio, de Deus e do espírito humano. Afirmações semelhantes também são feitas em alguns dos livros listados na Bibliografia.

Eu discordo. Causalidade não local, o enigma quântico e ideias semelhantes (explicadas a seguir) não fazem nenhum sentido para mim. O propósito deste Apêndice é mostrar o porquê disso. Eu argumento neste Apêndice que ideias como as do *enigma quântico*, a *causalidade não local, o colapso da função de onda* e a *interferência do fóton com ele mesmo* desafiam o senso comum. É então possível que a interpretação de Copenhague da mecânica quântica esteja errada? Sim. Mas é provável que eu tenha provado isso pelo simples uso da lógica? Alguns dirão que "não".

Consideremos, no entanto, o Capítulo 1 deste livro: a ciência ocidental vem há séculos fazendo afirmações simultâneas de que nenhuma força vital deve ser admitida na ciência, que tudo se reduz a forças e partículas inanimadas e que algumas coisas são vivas e outras mortas. Se ganhadores do Prêmio Nobel endossam a falha lógica central do materialismo, então, eu digo que é perfeitamente possível que o enigma quântico e a causalidade não local sejam erros lógicos que desafiam o senso comum. É possível que o senso comum esteja certo.

Eu coloquei a minha análise das implicações filosóficas da mecânica quântica em um apêndice porque ela é periférica em relação ao corpo principal do livro. Eu a incluo por considerá-la de interesse e por motivos de completude, mas essa análise poderia ser tomada equivocadamente como não tendo nenhum efeito sobre a ciência dos campos de energia humanos. A ciência está baseada na mecânica quântica, uma vez que lida com campos eletromagnéticos, mas opera no mundo intermediário da experiência humana e da biosfera — a meio caminho entre a escala minúscula da mecânica quântica e a escala cósmica da teoria da relatividade. Assim, admitindo que meu pensamento possa estar equivocado, permitam-me prosseguir:

O experimento da dupla fenda

Realizado pela primeira vez por Thomas Young em 1801, o experimento da dupla fenda comprovou a natureza ondulatória da luz. É um dos experimentos mais famosos da física. No século XX, com a introdução de detectores de fótons ao procedimento, o experimento da dupla fenda comprovou a dualidade onda-partícula da mecânica quântica. Sob certas condições experimentais, a luz se comporta como onda, enquanto sob outras condições, ela se comporta com partícula discreta ou *quantum*, que nós chamamos de fóton.

O enigma está em saber se a luz é onda ou partícula. A resposta é que a luz não é nem uma nem outra, e também é ambas. Essa lógica é considerada correta e pouco digna de atenção no século XXI, mas a criação dessa lógica exigiu dos físicos mais notáveis muitos anos de trabalho intelectual. Tal estrutura lógica não existia, nem era necessária, na física clássica.

Recentemente, vêm sendo feitas afirmações de que o experimento da dupla fenda e outros aspectos da mecânica quântica oferecem provas da existência do livre-arbítrio, da consciência e até mesmo de Deus. Para mim, todas essas afirmações parecem equivocadas e baseadas em erros lógicos e inferências incorretas. A mecânica quântica constitui um método altamente bem-sucedido de fazer cálculos nos âmbitos da física e da engenharia, mas, em sua forma atual, ela não me diz nada sobre natureza da consciência, livre-arbítrio ou espírito.

Há erros lógicos e contradições não resolvidas nas explicações populares do experimento da dupla fenda, bem como nas implicações filosóficas extraídas do experimento. Sob o aspecto matemático, a mecânica quântica acertou em todos os experimentos feitos até hoje: eu quero focar aqui as interpretações lógicas e filosóficas do experimento da dupla fenda, e não a sua matemática, a sua engenharia ou a própria mecânica quântica.

A "filosofia" da mecânica quântica tem pouca ou nenhuma importância para a ciência dos campos de energia humanos. A mecânica quântica, em e por si mesma, não diz respeito às ideias, aos experimentos, aos instrumentos e às aplicações da ciência dos campos de energia humanos. Ela irá, no entanto, desempenhar um papel nos aspectos referentes à engenharia elétrica dessa ciência. Nas considerações a seguir, eu apresento meus argumentos, que procuram justificar por que a mecânica quântica não me diz nada a respeito do livre-arbítrio, da consciência, de Deus ou do espírito.

O dispositivo usado no experimento da dupla fenda

O dispositivo usado consiste em uma fonte de luz, um anteparo com duas fendas e um painel de detecção atrás da tela. Quando uma fonte de luz intensa é usada e ambas as fendas estão abertas, o padrão de interferência no painel de detecção demonstra a natureza ondulatória da luz. O padrão de interferência é um conjunto de faixas alternadamente escuras e iluminadas sobre o painel, como foi demonstrado por Thomas Young no início do século XIX. Quando, no entanto, um detector de fótons é usado em uma extremidade da tela, a luz atinge o painel apenas sob a forma de quanta discretos ou partículas.

Essa é a dualidade onda-partícula, que é um fato indiscutível: sob certas condições experimentais, a luz se comporta como uma onda, enquanto sob outras, ela se comporta como uma partícula. Um segundo fato indiscutível é: as equações da mecânica quântica predizem os resultados de todos os experimentos realizados até hoje. Não há nenhuma dúvida de que a matemática da mecânica quântica funciona. As equações levaram à invenção do raio laser, do computador, do aparelho de ressonância magnética e de muitas outras tecnologias.

No entanto, surge um enigma lógico quando a fonte de luz é enfraquecida a tal ponto que apenas um fóton de cada vez atravessa a fenda. Como leigo que não entende de matemática, eu vou conduzir um conjunto de experimentos de pensamento para examinar o dispositivo usado no experimento da dupla fenda tanto da perspectiva em que a luz se comporta como onda como da perspectiva em que ela se comporta como partícula, e discutir o problema lógico às vezes chamado de *enigma quântico* ou *problema de medição*: "Como um mesmo fóton pode estar em dois lugares ao mesmo tempo, como ele pode interferir consigo mesmo, e como o ato de observação provoca o colapso da função de onda do fóton, em sua interpretação probabilística, em uma única localização?

Pacote de ondas associados a fótons

Uma onda não é algo completamente diferente de uma partícula em mecânica quântica. A principal diferença entre elas está no fato de que uma "onda" se espalha sobre uma área muito mais ampla, às vez abrangendo muitos e muitos metros quadrados ou mais. Uma partícula, como um fóton, é diferente de uma bola de bilhar ou de uma bolinha de gude — ela não é um pequeno objeto rígido com fronteiras bem delimitadas. Em vez disso, é uma onda minúscula que ocupa um espaço minúsculo. Dentro desse espaço minúsculo, ela é indefinida e se espalha. Ela não ocupa uma única localização precisa, mas se espalha em uma vasta área como uma "onda". Uma partícula tem, no entanto, uma frequência e uma função de onda, que é uma fórmula matemática que a descreve.

Uma partícula tem, então, uma função de onda, exatamente como uma onda a tem. Isso pode parecer confuso para quem não sabe que uma partícula — às vezes chamada de *pacote de ondas* — é uma manifestação ondulatória contida em pequena área restrita. No entanto, uma partícula tem uma frequência e pode ser representada matematicamente como uma linha ondulada exatamente como uma grande onda macroscópica que se propaga na água. A propriedade ondulatória de uma partícula está envolvida no assim chamado *enigma quântico*.

Experimentos de pensamento: Uma checagem inicial do dispositivo da dupla fenda de uma perspectiva ondulatória

O dispositivo em sua configuração usual funciona perfeitamente bem. Um padrão de interferência de faixas alternadamente escuras e luminosas aparece no painel de detecção. Em analogia com ondas de água, isso é perfeitamente compreensível. A primeira onda luminosa deixa a fonte e, em seguida, uma nova onda luminosa é gerada em cada fenda: essas duas ondas interferem tanto construtiva como destrutivamente no painel de detecção, criando o padrão de interferência.

A mesma coisa acontece quando o mesmo experimento é realizado com água: uma pedra é lançada na água (equivalente à fonte luminosa); uma única onda se espalha pela água até atingir uma barreira com duas fendas; duas novas ondas se formam, uma em cada fenda, as quais seguem em frente até encontrar outra barreira; nessa segunda barreira, em faixas alternadas, constata-se a presença tanto de ondas muito altas como da ausência de ondas.

Isso acontece por causa da geometria da situação, tanto para a luz como para a água. O dispositivo é montado de maneira tal que a luz que atravessa a primeira fenda e chega a uma faixa escura no painel de detecção está no pico de sua onda, enquanto a luz que atravessa a segunda fenda está no vale de sua onda. As duas se anulam reciprocamente e surge a escuridão. Essa é uma interferência destrutiva. As ondas estão fora de fase porque a diferença entre a distância que a luz percorre da primeira fenda até a tela e a distância entre a segunda fenda (que é a segunda fonte) e a tela é exatamente a diferença entre uma onda no seu pico e uma onda no seu vale, isto é, ambas as ondas estão perfeitamente fora de fase e se cancelam. Um pouco mais para a esquerda ou para a direita e os trajetos da luz a partir das fendas até a tela são iguais em comprimento (ou a diferença entre eles é igual a um número inteiro de comprimentos de onda), de maneira que nessas posições as duas luzes se somam e criam uma faixa luminosa brilhante. É o que se chama de interferência construtiva; as duas ondas estão em fase e por isso se somam. O padrão se repete porque à medida que você se move para a esquerda ou para a direita ao longo do painel, surgem faixas alternadas nas quais, por causa da geometria, as duas ondas chegam em fase ou fora de fase.

O diagrama do experimento da dupla fenda pode ser aplicado tanto a ondas de luz como de água. No caso da água, o observador está olhando a partir de cima para a superfície da água embaixo.

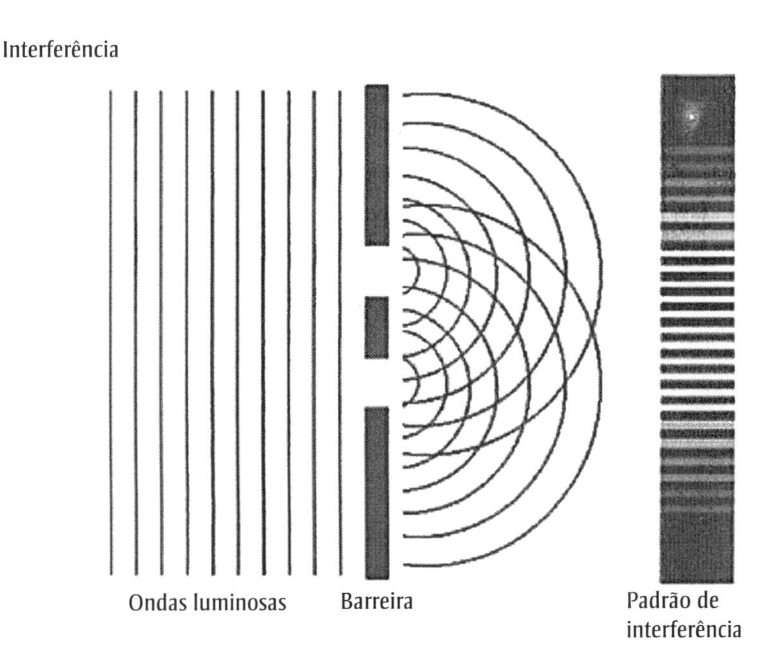

Figura 1 Diagrama do experimento da dupla fenda

A aparência do padrão variará se as duas fendas se aproximarem ou se afastarem uma da outra. O sistema funciona experimentalmente e é compreensível até para um leigo como eu, mesmo sendo incapaz de entender sua matemática. As interferências construtiva e destrutiva são ambas necessárias para se observar um padrão de interferência no painel de detecção: uma cria as faixas brilhantes e a outra as faixas escuras. A luz também atinge as áreas escuras, mas nelas as duas ondas luminosas se cancelam. Isso é muito diferente da ausência de luz ou de dizer que a luz não chega nas áreas escuras.

Algumas variações na montagem do dispositivo

Apenas para convencer a mim mesmo de que tudo está certo, eu vou realizar mais uma série de experimentos de pensamento que envolvem variações isoladas a partir da configuração padrão. Em todos esses experimentos, a fonte luminosa continua a ser brilhante:

Quadro 1 Variações do experimento ondulatório

	Interferência presente ou ausente
1. Coloco a fenda um e a fenda dois de maneira que elas se sobreponham (formando uma única pequena fenda).	–
2. Coloco a fenda um e a fenda dois de maneira que elas se toquem (formando uma única grande fenda).	–
3. Separo as duas fendas de modo que a distância entre ambas seja de vários quilômetros.	–
4. Desloco o painel de detecção até ele tocar a tela.	–
5. Faço com que a tela tenha um quilômetro de espessura.	–
Todos esses resultados são perfeitamente compreensíveis e eu prossigo:	
6. Movo o painel de detecção até ele ficar um centímetro afastado da tela.	–

Esse resultado me prova que não há nenhuma interferência detectável por pelo menos um centímetro além da tela e que não ocorre nenhuma interferência nas fendas ou imediatamente depois delas. O resultado 6 se baseia na geometria do dispositivo experimental, como se pode ver no diagrama.

Reexame do dispositivo a partir da perspectiva de uma partícula

Eu refaço agora o experimento da perspectiva de uma partícula, usando um detector de fótons instalado junto ao painel de detecção e com a fonte luminosa ainda brilhante. Realizo o experimento de acordo com a configuração padrão, na qual eu detecto fótons, e em seguida em minhas seis variações.

Quadro 2 Variações do experimento com a luz como partícula

	Fótons detectados
1. Coloco a fenda um e a fenda dois de maneira que elas se sobreponham (formando uma única pequena fenda).	+
2. Coloco a fenda um e a fenda dois de maneira que elas se toquem (formando uma única grande fenda).	+
3. Separo as duas fendas de modo que a distância entre ambas seja de vários quilômetros.	−
4. Desloco o painel de detecção até ele tocar a tela.	+
5. Faço com que a tela tenha um quilômetro de espessura.	−
6. Movo o painel de detecção até ele ficar um centímetro afastado da tela.	+

Para produzir o resultado 5, supus que os fótons que entravam nas fendas na condição 5 são todos absorvidos antes que conseguissem atravessar a fenda de um quilômetro de espessura. A partir desses dois conjuntos de experimentos, eu descubro que os fótons podem chegar ao painel de detecção na ausência de interferência e que as duas fendas são necessárias para que ocorra a interferência. E o mais importante é que eu demonstrei que não ocorre nenhuma interferência junto às fendas ou a uma distância definível além delas (definir essa distância experimentalmente envolveria afastar cada vez mais o painel de detecção da tela, ou então, a mesma resposta poderia ser obtida apenas usando geometria).

Eu me convenci de que tudo faz sentido geometricamente. Nada é misterioso ou contraintuitivo. Eu considero a onda como um enorme número de fótons atravessando a fenda um ou a fenda dois aleatoriamente. A interferência ocorre porque os fótons individuais interferem uns nos outros em números enormes produzindo os resultados previstos pela análise ondulatória.

A essa altura, como leigo, não estou preocupado com a física de como um fóton individual interfere com outro fóton individual. Suponho que isso tenha a ver com a função de onda de um fóton individual que chega no pico de sua oscilação no ponto em que ele interfere destrutivamente com um fóton, que chega nesse mesmo ponto com a sua função de onda no vale de sua oscilação encontra-se na depressão. Suponho que esse processo também ocorra para incontáveis fótons a fim de gerar o mesmo padrão de interferência previsto pela análise ondulatória.

Enfraquecimento da fonte de luz a tal ponto que apenas fótons individuais atravessam a tela

O enigma quântico surge quando a fonte luminosa é tão fraca que apenas um fóton de cada vez consegue atravessar o dispositivo da experiência. No entanto, eu não vejo nenhum enigma. Ele me parece ser um produto artificial resultante de erros de lógica. O enigma quântico é:

Quadro 3 O enigma quântico (O problema da medição na mecânica quântica)

Os fatos experimentais

1. Apenas um fóton de cada vez atravessa uma fenda na tela pelo fato de a fonte luminosa ser demasiadamente fraca.
2. No momento em que um fóton deixa a fonte luminosa, a probabilidade de ele atravessar a fenda um é de 50:50, a mesma probabilidade de ele atravessar a fenda dois.
3. Quando as duas fendas estão abertas, a interferência é observada na tela, mas quando apenas uma fenda está aberta, não ocorre nenhuma interferência.

A interpretação do experimento de acordo com as explicações populares da mecânica quântica (a interpretação de Copenhague)

1. Um fóton na fenda um tem de saber se a fenda dois está aberta ou fechada para "decidir" se a interferência deve ou não ocorrer.
2. Um fóton individual precisa, portanto, atravessar ambas as fendas ao mesmo tempo para que a interferência ocorra e precisa interferir consigo mesmo. Isso acontece porque apenas um fóton de cada vez atravessa o dispositivo experimental.
3. Ao atravessar a tela, o fóton precisa estar em dois lugares ao mesmo tempo na forma de uma função de onda de natureza probabilística amplamente distribuída (as probabilidades são de 50:50 de ele estar na fenda um ou na fenda dois).
4. Antes de ser observado por uma peça do equipamento experimental, o fóton existe apenas como uma função de onda de natureza probabilística. Diz-se que ele se encontra em um estado de superposição. O fóton está em ambas as fendas e em nenhuma delas ao mesmo tempo – ele existe apenas no espaço matemático como uma função de onda de natureza probabilística, e não como uma partícula localizada no espaço físico.
5. Se colocarmos detectores de partículas nas fendas, o nosso ato de observação provocará o colapso da função de onda de maneira a criar uma partícula na fenda um ou na fenda dois, mas não em ambas. A partícula não existia como partícula no espaço físico enquanto não era observada.

6. O enigma quântico é: como pode um fóton estar em duas fendas ao mesmo tempo; como pode um fóton interferir consigo mesmo; e como o ato de medição, ou observação, força o fóton a se materializar em uma ou na outra fenda?

As implicações filosóficas do enigma quântico de acordo com vários autores

1. Se decidimos colocar um detector de fótons na fenda um, isso força a função de onda a colapsar na fenda um, e não na fenda dois.
2. Se fechamos a fenda dois, os fótons que estão atravessando a fenda um sabem que não devem criar um padrão de interferência no painel.
3. Isso demonstra uma interação entre o ato de observação e os eventos físicos que estão sendo observados.
4. O observador humano consciente é parte do dispositivo experimental, assim como o detector de fótons, pois suas escolhas conscientes afetam os eventos físicos que ocorrem no dispositivo.

O enigma quântico me parece ser um artifício resultante de vários erros de lógica. Corrigidos esses erros, o enigma quântico desaparece. Não há, portanto, nenhum enigma quântico do qual podemos extrair inferências filosóficas. Os erros de lógica são os apresentados no quadro abaixo:

Quadro 4 Erros de lógica que dão origem ao Enigma Quântico

1. Considerar a luz como sendo *simultaneamente* tanto onda como partícula, o que não é permitido nem pela dualidade onda-partícula nem pela interpretação de Copenhague da mecânica quântica.
2. Supor que a função de onda seja a mesma nas fendas e na fonte luminosa; daí se segue, erroneamente, que ocorre o colapso instantâneo da função de onda quando a leitura por um detector de fótons é feita em uma fenda.
3. Considerar a função de onda do fóton como uma realidade física, quando ela é de natureza puramente matemática.
4. Supor que um evento de interferência ou "decisão" está ocorrendo nas fendas um e dois.

A interpretação de Copenhague da mecânica quântica recebeu esse nome pelo fato de que Niels Bohr, seu principal arquiteto, vivia em Copenhague. Ela constitui a visão dominante que prevalece na física contemporânea. Segundo a lógica aceita da dualidade onda-partícula, a luz se comporta *ou* como onda *ou* como partícula, dependendo do dispositivo experimental que está sendo usado, mas nunca como ambas ao mesmo tempo. Uma regra da interpretação de Copenhague é a seguinte: não podemos fazer nenhuma afirmação com respeito à realidade física durante os períodos de tempo entre as medições.

Essa regra é difícil de ser seguida porque é contraintuitiva. Ela parece afirmar que a realidade física não existe enquanto não é observada: o ato de observar provoca o colapso da função de onda, que tem natureza probabilística, da partícula fazendo dela uma partícula com uma localização específica no espaço físico. No entanto, antes de ser observada, a partícula existia em um estado de *superposição*. No experimento da dupla fenda, por exemplo, ela está simultaneamente tanto na fenda um como na fenda dois, mas ao mesmo tempo em nenhuma delas. Ela existia apenas no espaço matemático e ainda não havia se materializado no espaço físico.

Afirmar que a partícula se encontra em ambas as fendas antes de o ato de observação provocar o colapso de sua função de onda viola a regra segundo a qual não podemos fazer afirmações sobre a física das partículas durante os períodos entre as observações. Não podemos saber se a partícula está em uma das fendas, em ambas, em nenhuma ou viajando no sentido contrário e afastando-se da tela. Pelo que parece, a interpretação de Copenhague proíbe-nos de afirmar que o fóton está em ambas as fendas ao mesmo tempo.

Outro erro de lógica é a afirmação de que o ato de observação provoca o colapso da função de onda do fóton, o que, por sua vez, faz com que o fóton se materialize em uma ou na outra fenda no espaço físico. Se não podemos fazer afirmações sobre as partículas durante os períodos em que elas não estão sendo observadas, então não podemos dizer que a partícula se encontrava em um estado de superposição antes de chegar à tela. Além disso, se o fóton não existia no espaço físico antes que nós o detectássemos na fenda, então a fonte luminosa ainda não havia emitido um fóton no espaço físico. Portanto, a fonte luminosa estava desligada, nenhuma luz estava sendo emitida e nem havia nenhuma função de onda associada ao fóton para colapsar, embora uma interferência estivesse sendo observada no painel de detecção. A lógica desse raciocínio contradiz a si mesma, o que prova que há algo de errado com ela.

Além disso, não faz nenhum sentido dizer que a probabilidade de o fóton chegar à fenda um ou à fenda dois continua sendo de 50:50 até o momento em que ele chega à fenda um ou à fenda dois. Certamente, a função de onda precisa colapsar continuamente de uma probabilidade de 50:50 na emissão para 100:0 no momento em que o fóton atinge a tela. Não faz nenhum sentido geométrico dizer que um fóton poderia saltar fisicamente e instantaneamente de sua posição muito próxima da fenda dois para entrar na fenda um, dependendo de termos colocado o nosso detector na fenda um ou na fenda dois. O colapso da função de onda pode ocorrer instantaneamente, mas esse é um processo matemático, não um evento no espaço físico.

A mecânica quântica ainda não encontrou uma maneira de prever o trajeto de um fóton individual no espaço físico. A interpretação de Copenhague resolve esse problema ao afirmar que o fóton não existe no espaço físico antes de o ato de observação causar o colapso de sua função de onda, fazendo com que ele se materialize em uma determinada posição. Mas isso desafia o senso comum. Acho que encontrei uma maneira de testar experimentalmente o enigma quântico (ver abaixo), mas é bem possível que eu esteja errado.

Problemas lógicos relativos ao dispositivo para a detecção de fótons

O que aconteceria se tivéssemos um arranjo infinito de detectores de partículas entre a fonte luminosa e a tela? Com certeza, eles rastreariam o fóton em seu percurso em direção a uma ou outra fenda. Digamos que mediríamos o fóton repetidamente a pequenos intervalos, alternadamente a partir da esquerda ou da direita para que a deflexão resultante causada por todas as nossas observações fosse igual a zero. Veríamos então que o fóton tinha uma probabilidade igual a 50:50 de ir para a fenda um ou para a fenda dois no instante em que ele foi emitido pela fonte de luz. Mas essa probabilidade mudaria gradualmente para 100:0.

Seria possível, tecnicamente, realizar o experimento da dupla fenda em uma câmara de névoa? Neste caso, o que veríamos caso a fonte de luz fosse fraca? Não seria possível ver a trajetória de uma partícula, em particular vendo-a atravessar uma ou outra fenda, e um padrão de interferência no painel de detecção? Na verdade, se as partículas não percorrem trajetórias definidas no espaço físico, como as câmaras de névoa poderiam funcionar? Ou será que as câmaras de névoa lidam apenas com funções de onda "colapsadas"?

Voltando ao experimento da dupla fenda, se não temos nenhum detector instalado entre a fonte e a tela, então tudo o que temos é uma probabilidade de 50:50, que irá vigorar até que um fóton apareça efetivamente na fenda um ou na fenda dois. Isso é fácil de entender. Mas e se não tivermos nenhum detector instalado nas fendas ou a uma distância de um centímetro depois delas? Então temos ainda apenas uma função de onda probabilística, embora o fóton tenha acabado de atravessar uma fenda ou a outra. Por que supomos que a interferência tenha de ocorrer nas fendas? Por que as fendas são mais importantes como locais para o colapso da função de onda do que qualquer outra localização entre a fonte luminosa e o painel de detecção? Sabemos que não ocorre nenhuma interferência pelo menos um centímetro depois da tela, mesmo com uma fonte de luz intensa.

Também sabemos que quando ambas as fendas estão abertas, a luz atinge as áreas escuras, mas interfere destrutivamente consigo mesma. Isso precisa ser verdadeiro tanto em sua condição de onda como de partícula. Por outro lado, quando a fenda dois está fechada, não nos surpreendemos quando a onda que atravessa a fenda um não cria nenhum padrão de interferência no painel de detecção. Não concluímos que a onda "sabe" que a fenda dois está fechada enquanto ela está atravessando a fenda um. Ela simplesmente segue sua trajetória atravessando a fenda um e não encontra nenhuma onda fora de fase no painel de detecção.

Por que um fóton na fenda um precisa "saber" mais sobre a condição da fenda dois do que a onda sabe sobre isso? Se colocarmos um detector de partículas na fenda dois e deixarmos a fenda um aberta, o padrão de interferência desaparecerá; obteremos então uma variante do enigma quântico: "Como o fóton que atravessa a fenda um sabe que o fóton que atravessa a fenda dois foi detectado?" Parece que o fato de detectar o fóton na fenda dois seja indistinguível do fato de fechar a fenda dois, o que parece lógico; o fóton é absorvido pelo detector e termina ali sua jornada. O fóton que atravessa a fenda um não precisa "saber" disso nem tomar nenhuma decisão a respeito da interferência até chegar ao painel de detecção.

A mim me parece mais lógico dizer que se a função de onda colapsa em algum lugar, de acordo com o experimento padrão realizado por Thomas Young, esse lugar tem de ser o painel de detecção. Não vejo absolutamente por que se falar em colapso nas fendas. Parece injustificado afirmar que não há fótons no lado próximo da tela, enquanto eles existem no lado afastado devido ao colapso ocorrido nas fendas. Na verdade, na condição de onda, não há fótons em nenhum lugar sobre os quais se possa falar. Parece que o enigma quântico poderia ser resolvido por uma proibição para se parar totalmente de falar em fótons durante os períodos em que não se faz nenhuma observação, proibição essa que parece uma exigência da interpretação de Copenhague.

Se realmente não podemos dizer nada sobre o estado do fóton nos períodos entre as observações, por que então temos permissão para dizer que ele existe em estado de superposição? Por que essa descrição é permitida se nenhuma descrição é permitida? Se não podemos conhecer o estado do fóton antes de provocarmos o colapso de sua função de onda pela observação, como então, falando estritamente, podemos dizer que ocorreu efetivamente algum colapso? O enigma quântico parece surgir de uma confusão entre espaço matemático e espaço físico e de se imaginar que o colapso de algo ocorre no espaço físico.

Além do mais, se a fenda dois está fechada, então a probabilidade de um fóton atravessá-la é zero no momento em que ela emerge da fonte luminosa. Com o tempo, a metade dos fótons atingirá a fenda dois e a metade atravessará a fenda um (considerando-se apenas os fótons que chegam a uma ou à outra fenda – a maioria dos fótons jamais atravessará nenhuma das fendas porque eles simplesmente atingem a tela opaca). Parece que isso não tem nada de misterioso.

Questões de engenharia elétrica envolvendo o experimento da dupla fenda

Parece-me que a interferência ocorre apenas no painel de detecção. Nenhuma interferência pode ser observada no espaço entre a tela e o painel de detecção porque não há nada que permita detectá-la. Portanto, de maneira consistente com a interpretação de Copenhague, só podemos falar de probabilidades enquanto a luz não atinge de fato o painel. Se a interferência ocorre apenas no painel de detecção – com certeza, ninguém afirma que ocorre interferência de ondas nas fendas – eu suponho então que isso também seja verdade para os fótons. Ou eles absolutamente não interferem, entre eles ou com outros fótons, ou eles interferem, mas apenas no painel, porque antes do painel não ocorre nenhuma interferência.

Isso me leva a fazer perguntas sobre os aspectos de engenharia elétrica da interferência de fótons no painel. Se os fótons nunca chegassem ao painel, ou se todos eles o atravessassem, não ocorreria nenhuma interferência. Além do mais, o lado de trás do painel está totalmente escuro. Portanto, todos os fótons estão sendo absorvidos pelo painel. No entanto, como posso ver faixas luminosas e faixas escuras no painel, eu sei que os fótons que chegam às faixas escuras estão sendo absorvidos, mas não reemitidos. Os fótons que chegam às áreas das faixas luminosas estão sendo absorvidos e também reemitidos.

Isso me leva a fazer perguntas sobre os eventos de engenharia elétrica que ocorrem no painel: "Quanto tempo leva para um fóton ser absorvido pelo painel? Quão amplamente distribuído no painel é um único evento de absorção? Por quanto tempo um fóton de uma fonte luminosa esmaecida espera no painel pela chegada do fóton seguinte em sua área de absorção?" Em outras palavras: "Existe um limiar de enfraquecimento da luz abaixo do qual não pode ocorrer nenhuma interferência, independentemente do tempo em que a fonte luminosa é mantida ligada?"

Parece incorreto dizer que nenhum fóton está chegando às faixas escuras do painel apesar do fato de o detector de fótons nunca se desligar. Parece mais lógico dizer que na condição da fonte de luz brilhante, os fótons interferem destrutivamente uns nos outros durante o processo de absorção no campo de elétrons do painel de detecção e antes que ocorra o evento de engenharia elétrica necessário para acionar o detector de fótons.

Com certeza, se a fonte luminosa é suficientemente obscura, um fóton absorvido se dissipa antes da chegada do fóton seguinte, e todos os traços de sua chegada à tela desaparecem, de maneira que o fóton seguinte não pode interferir com o precedente. Disso resulta que a fase de um pacote de ondas que chega precisa ser armazenada na tela durante um período de tempo finito para que ocorra uma interferência construtiva ou destrutiva. Talvez o fóton chegue como partícula, mas torna-se mais amplamente distribuído durante a absorção. Talvez se possa dizer que o fóton chega como uma função probabilística, colapsa como uma partícula em um espaço restrito durante a absorção, mas em seguida descolapsa em um estado mais amplamente distribuído ao longo de um breve período de tempo.

Parece que a interferência entre fótons individuais na tela poderia ser demonstrada por meio do seguinte experimento em três estágios:

Quadro 5 Proposta de experimento da dupla fenda com fótons

1. O experimento padrão da dupla fenda com uma fonte luminosa brilhante. Ocorre interferência – nenhum fóton é detectado nas faixas escuras.
2. A fonte luminosa é obscurecida o bastante para que apenas um fóton de cada vez atravesse a fenda.
   Também ocorre interferência – nenhum fóton é detectado nas faixas escuras.
3. A fonte luminosa é ainda mais obscurecida, até que a interferência desapareça – são detectados fótons nas áreas em que havia anteriormente faixas escuras.

O intervalo de tempo entre os instantes em que os fótons são emitidos pela fonte luminosa e que constitui a transição do resultado (2) para o resultado (3) seria igual ao tempo em que os fótons podem ser retidos no detector em um estado que permite a ocorrência de interferência.

Se o terceiro estágio do experimento funcionar conforme o previsto, parece que o enigma quântico se evaporará. Um fóton não teria de saber se a outra fenda está fechada, não precisaria estar em dois lugares ao mesmo tempo e nem teria de interferir consigo mesmo. As implicações filosóficas do experimento da dupla fenda seriam então as mesmas implicações envolvidas no ato de iluminar o porão com uma lanterna elétrica. O entrelaçamento da consciência do observador no experimento da dupla fenda não seria nem mais nem menos misterioso do que o entrelaçamento da consciência do sujeito que segura a lanterna com a fuga apressada de um rato no porão, fato que não teria ocorrido se o dono da casa não tivesse decidido entrar no porão e lançar a luz da lanterna na direção do rato (ver abaixo a discussão sobre o *entrelaçamento quântico*).

O Princípio da Incerteza de Heisenberg

De acordo com o Princípio da Incerteza de Heisenberg, não é possível medir simultaneamente a posição e o *momentum* de uma partícula com perfeita precisão. Quando a posição é conhecida com precisão, o *momentum* é desconhecido, e vice-versa. Este não é simplesmente um problema técnico de medição, de acordo com a mecânica quântica, mas uma qualidade intrínseca do universo físico. É fisicamente impossível conhecer a posição e o *momentum* com precisão ao mesmo tempo, por mais aperfeiçoados que sejam os nossos instrumentos de medida. O Princípio da Incerteza de Heisenberg é frequentemente citado como uma lei que fornece evidências suplementares de uma interação entre consciência e matéria, com base na suposição de que a decisão de observar a posição de uma partícula *causa* precisamente a incerteza no valor medido do *momentum* na realidade externa, e vice-versa.

Tirar do Princípio da Incerteza conclusões filosóficas a respeito do livre-arbítrio ou da consciência só é possível se ignoramos a minúscula dimensão da constante de Planck. Para qualquer partícula, o produto da incerteza relativa à sua posição pela incerteza relativa ao seu *momentum* é sempre igual à constante de Planck, de acordo com o Princípio da Incerteza. Porém, a constante de Planck é um número incrivelmente pequeno: $6{,}626068 \times 10^{-34}$ m^2 kg/s. Tal valor infinitesimal associado à incerteza está muito, muito abaixo do limiar da consciência humana. Afirmar que o Princípio da Incerteza de Heisenberg tem alguma coisa a ver com o funcionamento da consciência humana é como dizer que uma reação alérgica na Terra foi causada por moléculas no planeta Plutão.

Embora os valores exatos da posição e do *momentum* do fóton não possam ser conhecidos simultaneamente por causa do Princípio da Incerteza de Heisenberg, no experimento da dupla fenda estamos interessados apenas em sua posição, de maneira que a incerteza quanto ao *momentum* não é um problema. Unicamente por essa razão, o Princípio da Incerteza de

Heisenberg não é importante para as interpretações filosóficas do experimento da dupla fenda.

O conceito de entrelaçamento quântico

O conceito de entrelaçamento quântico é usado por vários autores, juntamente com o Princípio da Incerteza de Heisenberg e com o experimento da dupla fenda, para dar apoio a argumentos teológicos e filosóficos. Embora o detector de fótons não seja, em si mesmo, considerado como um observador consciente por esses autores, uma sequência de interações ocorre entre o fóton, o detector de fótons e o som do clique do detector na mente do físico. A percepção consciente do físico é um componente inseparável do dispositivo experimental. Na realidade, a decisão do físico de colocar o detector de fótons na fenda um forçou o colapso da função de onda na fenda um, o que constitui uma interação da consciência com a matéria. Essa ligação da consciência com o restante do dispositivo experimental é chamada de *entrelaçamento quântico* e, por isso, ela é citada como evidência da interação da consciência com a matéria.

É assim que alguns comentadores concluem que a mecânica quântica dá apoio à existência do livre-arbítrio e de uma interação entre consciência e matéria. O físico *decide* fechar a fenda dois: essa decisão faz com que um fóton que esteja atravessando a fenda um "saiba" que a fenda dois está fechada e isso faz, por sua vez, com que o fóton "decida" não criar interferência. De maneira semelhante, se o físico decide colocar um detector de fótons na fenda um, essa decisão faz com que o colapso da função de onda ocorra na fenda um: a mente do físico faz com que o fóton se transforme de uma função probabilística no espaço matemático em uma partícula no espaço físico que pode ser detectada por um detector na fenda um.

Outros experimentos desse tipo realizados no fim do século XX tornaram-se mais complicados e difíceis de entender, mas a mesma lógica básica se aplica a eles. Do meu ponto de vista, o espírito é uma propriedade geral da matéria, e por essa razão a consciência está o tempo todo, e em todos os lugares, interagindo com a matéria, a energia, o espaço e o tempo. Nenhum experimento específico pode demonstrar essa interação a não ser que ele meça diretamente a consciência. Nos capítulos anteriores, eu descrevi experimentos capazes de detectar a propriedade auto-organizadora da consciência, bem como a interação da mente com o cérebro. Nesses experimentos, a consciência humana não ficou fora do dispositivo experimental e as medições básicas realizadas pelo experimento, da mesma maneira que no experimento da dupla fenda.

O gato de Schrödinger

Muitas explicações populares da mecânica quântica contam a história do gato de Schrödinger. Ele ilustra o princípio do colapso da função de onda, que tem natureza probabilística, mas que ocorre em um nível macroscópico ou newtoniano. Um pobre gato é colocado dentro de uma caixa opaca com uma amostra de material radioativo, um contador Geiger, um frasco de gás venenoso e um mecanismo articulando o contador Geiger a um pequeno martelo. Quando acionado pelo contador Geiger, o martelo quebra o frasco e o gato é morto pelo gás.

O gato é deixado sem ser observado na caixa por certo período de tempo o qual, por causa da meia-vida do material radioativo, leva a uma probabilidade de 50:50 de uma partícula ser emitida, o martelo disparado e o gato morto. O observador não sabe se o gato está morto ou vivo antes de abrir a caixa. Se o experimento for realizado com um milhão de gatos, o número de gatos encontrados mortos não diferirá significativamente de 500 mil. Isso é efetivamente verdadeiro no nível experimental.

No entanto, de acordo com a lógica do enigma quântico, a função de onda de cada gato individual não colapsa até que o observador abra a caixa. Até esse momento, as probabilidades são de 50:50 de o gato estar vivo ou morto. Ele se encontra em um estado de superposição e está tanto vivo como morto. No entanto, quando a caixa é aberta, a função de onda colapsa e o gato está 100% vivo ou 100% morto. Até que o observador olhe dentro da caixa, o gato está, ao mesmo tempo, vivo e morto, e nem vivo nem morto. Há um potencial igual, mas não realizado, de ele estar vivo ou morto. É o ato de olhar do observador (e não o gás venenoso) que mata ou salva o gato.

O propósito desse experimento de pensamento, seria de se pensar, é provar que existe um erro de lógica, ou pelo menos provar que o enigma quântico – o problema da medição – não pode ser aplicado ao mundo macroscópico. Essa foi a intenção de Schrödinger. O fato de que só podemos lidar com probabilidades experimentalmente na mecânica quântica não significa que o ato de abrir a caixa e olhar dentro dela pode matar ou salvar um determinado gato. Portanto, em minha opinião, o enigma quântico não nos diz nada a respeito da natureza da consciência nem de sua interação com a matéria em um nível macroscópico.

Seria simples provar que cada gato, entre um milhão de gatos testados, estava vivo ou morto imediatamente antes de a caixa ser aberta, que nenhum gato se encontrava em um estado de superposição e que a causa de todas as mortes foi a quebra do frasco de veneno e não o ato de abrir a caixa. Tudo o que você teria de fazer era colocar uma câmara de vídeo em cada caixa. A câmera de vídeo nunca dispararia o martelo, como tampouco o faria o observador humano ou o ato de abrir a caixa. A câmera de vídeo desempenharia a mesma função desempenhada pela câmara de névoa se o experimento da dupla fenda fosse realizado nela.

O experimento Einstein-Podolsky-Rosen (EPR)

Einstein e Bohr passaram anos discutindo a interpretação de Copenhague e não chegaram a nenhum acordo a respeito até a morte de Einstein. Einstein jamais aceitou a interpretação de Copenhague, como tampouco a realidade física do enigma quântico.

A discussão entre Einstein e Bohr incluiu um refinamento do experimento da dupla fenda na forma de um experimento de pensamento criado por Einstein e dois colegas — o Paradoxo Einstein-Podolsky-Rosen. Einstein chamou o fenômeno que Bohr acreditava ser real — como o fato de um fóton em uma fenda aberta saber se a outra fenda está aberta ou fechada — de "ação fantasmagórica a distância", e rejeitou-o: ele acreditava que deveria haver um outro conjunto de leis, regras ou mecanismos e chamou-o de *variáveis ocultas* na física, para explicar o que estava acontecendo.

De acordo com a explicação de Rosenblum e Kuttner (2006), uma versão do experimento EPR ilustra o enigma quântico e aquilo que Einstein chamou de "ação fantasmagórica a distância" e o rejeitou como sendo impossível. O experimento envolve o envio de pares de fótons sincronizados — "fótons gêmeos" — em sentidos opostos a uma grande distância. Conceitualmente, eles podem ser sincronizados para qualquer variável, e qualquer tipo de partícula pode ser usado, mas nesse exemplo as partículas são fótons com polarização idêntica.

Digamos que ambos os fótons tenham polarização vertical em seu ponto de origem. A uma distância remota, cada fóton é conectado a um dispositivo com dois canais: o canal um permite que os fótons polarizados verticalmente passem pelo detector um, enquanto o canal dois permite que os fótons polarizados horizontalmente passem pelo detector dois.

Uma característica essencial desse arranjo experimental é o fato de os dois dispositivos estarem tão afastados entre si que a polarização de cada fóton pode ser medida mais rapidamente do que a luz é capaz de um detector a outro. O que é observado, em experimentos reais que testam o Paradoxo EPR, como o realizado por Alain Aspect? Quando um fóton de um par chega ao seu detector um com polarização um, o gêmeo desse fóton sempre chega ao seu detector um também com polarização um. Eles nunca se desemparelham. De maneira semelhante, se um par de fótons é polarizado horizontalmente, então quando um chega ao detector dois, o outro também sempre chega ao detector dois.

O enigma, supostamente, é este: "Como um fóton sabe em que estado se encontra o outro fóton para que os dois possam se emparelhar, quando não há tempo para que um sinal possa comunicar essa informação? O experimento supostamente demonstra a transmissão da informação mais rapidamente do que a velocidade da luz sem que essa informação tenha sido veiculada por um sinal físico.

Diz-se que os resultados dos experimentos de Alain Aspect e de outros físicos provaram o que é chamado de *causalidade não local*. Einstein chamou isso de "ação fantasmagórica a distância". Forçar o primeiro fóton do par de gêmeos a assumir a condição um força o outro fóton gêmeo assumir também a condição um, e isso mais rapidamente do que a informação poderia ser transmitida entre eles à velocidade da luz. Outro arranjo experimental, mais complicado do que esse, e que testa uma teoria conhecida como *Desigualdade de Bell*, também demonstra essa causalidade não local. Alguns comentadores argumentam que esses experimentos fornecem evidências da existência da consciência, do livre-arbítrio, de Deus, da telepatia mental e de outras coisas. Para mim, esses experimentos são simplesmente incompreensíveis.

Tais resultados experimentais também parecem incompreensíveis para os físicos. Por exemplo, para explicar a causalidade não local, alguns físicos postularam a existência de táquions, partículas hipotéticas que viajam com velocidade maior que a da luz e que também viajam para trás no tempo. Por retrocederem no tempo, os táquions levam a informação do primeiro detector de fótons para o segundo de maneira que a instrução sobre como provocar o colapso da função de onda do segundo fóton na condição um ou na condição dois parece ser transmitida instantaneamente. Sem os táquions, ou alguma outra variável oculta, os resultados observados parecem impossíveis, apesar de ocorrerem. O problema, no entanto, não está nos resultados, mas na criação de estruturas lógicas para acomodá-los.

No entanto, do meu ponto de vista, não parece existir absolutamente nenhum enigma. A explicação popular para justificar a existência do enigma é incompreensível para mim. Os fótons são, por definição, *fótons gêmeos* com a mesma polarização em seu ponto de origem. Por que é surpreendente o fato de eles continuarem tendo a mesma polarização quando chegam ao detector remoto? O "enigma" parece surgir porque a polarização dos fótons era desconhecida em seu ponto de origem, e por isso se considerava que eles se encontravam em um estado de superposição com um estado indeterminado de polarização até serem observados pelo detector, que estava muito afastado de seu ponto de origem.

Observar a polarização do primeiro fóton do par de gêmeos, de acordo com o enigma quântico, causa o colapso da função de onda do segundo fóton no mesmo estado de polarização. Isso ocorre instantaneamente, ou pelo menos mais depressa do que a informação poderia viajar do primeiro fóton até o segundo para "instruí-lo" a respeito de qual estado de polarização ele deveria "escolher". Isso é comprovado experimentalmente pela medição do estado de polarização de cada fóton em menos tempo do que levaria para a informação viajar de um detector a outro na velocidade da luz — daí a "ação fantasmagórica a distância".

Do meu ponto de vista, isso é totalmente evidente, uma vez que os fótons são *fótons gêmeos*. O experimento é montado para que eles tenham a mesma polarização. Um enorme esforço técnico é despendido para assegurar que os fótons sejam "gêmeos" em seu ponto de origem. Se os fótons não fossem gêmeos em seu ponto de origem, seus estados de polarização se igualariam em apenas 50% do tempo nos detectores remotos (supondo que todos os fótons fossem polarizados no plano vertical ou no plano horizontal). Os responsáveis pelo experimento não sabem qual o estado de polarização de um determinado par de fótons no início do experimento, mas sabem que eles se encontram no mesmo estado de polarização porque montaram o experimento de maneira a assegurar que seja esse o caso.

O experimento se assemelha a ter uma coleção de gêmeos idênticos postados de pé no meio de uma estrada larga. A metade dos pares é feita de machos e a metade de fêmeas. Quando um físico em um dos lados da estrada dispara um *flash* luminoso, um par de gêmeos caminha para os lados da estrada, um em cada sentido. Quando um gêmeo chega em uma das margens da estrada, um físico ali presente aciona seu cronômetro e registra o gênero sexual do gêmeo. Temos de imaginar que os físicos não podem observar o gênero sexual dos gêmeos antes de eles chegarem à margem da estrada.

Então, o primeiro físico instrui um mensageiro para atravessar a estrada com uma mensagem ao segundo físico informando o gênero sexual do primeiro gêmeo. Antes de o mensageiro chegar, o segundo físico já registrou o gênero sexual de seu gêmeo e acionou seu cronômetro no momento da chegada de seu gêmeo. Por que seria surpreendente se a função de onda do segundo gêmeo, sendo macho ou fêmea (que é de 50:50 para cada físico até que um gêmeo chegue de fato à sua margem da estrada), colapsar no gênero masculino em um lado da estrada, quando seu par do outro lado da estrada é macho, ou em fêmea no caso de o primeiro gêmeo do par ser fêmea?

Eu simplesmente não entendo isso. Os fótons são definidos *a priori* e experimentalmente como sendo gêmeos. Por que se diz que eles se encontram em um estado de superposição *fisicamente*? É óbvio que a probabilidade de eles serem machos ou fêmeas é de 50:50 a partir das perspectivas dos físicos enquanto os gêmeos não são observados e estão em trânsito do meio para a margem da estrada. Mas isso não significa que seu estado de polarização (ou gênero sexual) seja indeterminado na realidade física, e tampouco significa que observar sua polarização (ou seu gênero sexual) faz com que eles sejam de tal gênero sexual. Nem a informação transmitida para o outro lado da estrada faz com que o segundo gêmeo se torne macho ou fêmea por meio de uma ação fantasmagórica a distância.

Pelo que parece, o enigma quântico é um artifício resultante de uma confusão entre realidade física e matemática, o que eu não tenho condições de entender por não entender de matemática. Há pessoas que explicam o enigma quântico dizendo que o ato de observar ou de detectar *faz* com que o segundo fóton escolha um entre dois estados para nele colapsar

— o que, segundo elas, demonstra uma interação entre consciência e matéria, ou entre o observador e o sistema experimental, daí o enigma quântico.

Parece-me que o senso comum faz o enigma desaparecer, e que foi esse o propósito de Schrödinger quando ele concebeu seu experimento de pensamento com seu gato.

Uma advertência aos comentadores sobre as implicações filosóficas da mecânica quântica

Eu acho que os comentadores deveriam tomar um cuidado extremo ao fazerem uso da mecânica quântica para provar uma interação entre consciência e matéria, a existência da consciência ou do livre-arbítrio, ou de qualquer outra coisa de natureza filosófica. Minha análise do experimento da dupla fenda pode ser ingênua e equivocada. No entanto, a não ser que um crítico possa refutá-la, em detalhes e de maneira convincente, eu diria que é necessário tomar cuidado ao se usar a mecânica quântica para sustentar proposições filosóficas.

Eu não estou tentando provar que a mecânica quântica está "errada" — meu objetivo é estabelecer uma exigência, regra ou condição: *antes de a mecânica quântica poder ser usada para fornecer evidências ou argumentos em favor do livre-arbítrio, da interação da consciência com a matéria ou de coisas do gênero, minha análise do experimento da dupla fenda precisa ser refutada.*

A ciência dos campos de energia humanos não requer nenhuma interpretação filosófica da mecânica quântica. Ela tampouco requer que minha análise do experimento da dupla fenda esteja correta. Essa ciência está baseada em uma filosofia da unidade e na proposição de que o espírito é propriedade geral da matéria. O propósito dos meus argumentos filosóficos é *permitir* que certos experimentos de importância decisiva sejam realizados, tais como o da detecção do raio emitido pelo olho humano. Afora isso, a ciência é de natureza empírica, embora, como a mecânica quântica, ela tenha implicações filosóficas. A ciência dos campos de energia humanos funciona ou não funciona no nível empírico, independentemente de suas implicações filosóficas.

Impressão e acabamento:

tel.: 25226368